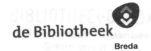

Ver weg

**Lees ook van Milou van der Horst:**

*Mijn allerliefste vijand*
*Zwaartekracht*

Milou van der Horst

# Ver weg

Uitgeverij Ploegsma Amsterdam

ISBN 978 90 216 6794 2 / NUR 283/284
© Tekst: Milou van der Horst 2010
Omslagontwerp: Annemieke Groenhuijzen
Omslagfoto's: Getty Images, Shutterstock
© Deze uitgave: Uitgeverij Ploegsma bv, Amsterdam 2010
Alle rechten voorbehouden.

Mixed Sources
Productgroep uit goed beheerde bossen
en andere gecontroleerde bronnen
www.fsc.org  Cert no. SCS-COC-001256
© 1996 Forest Stewardship Council
FSC

Uitgeverij Ploegsma drukt haar boeken op papier met het FSC-keurmerk. Zo helpen we waardevolle oerbossen te behouden.

# 1

Ik lig op mijn bed naar het plafond te staren. In het reliëf van het witte beton kun je allemaal vormpjes ontdekken. Ik merk aan de hondjesposter op mijn deur, die even opwaait, dat er iemand mijn kamer binnenkomt. Aan de zware manier van lopen hoor ik dat het mijn vader is. Ik draai me om zodat ik op mijn zij naar de muur lig te kijken. Heel wat minder interessant dan het plafond, moet ik zeggen.

'Liona, kijk me eens aan,' zegt hij. Mijn bed zakt in onder zijn gewicht.

Ik hoef die man helemaal nooit meer te zien. Dag pa.

'Liona,' zegt hij op zeurderige toon terwijl hij aan mijn schouder trekt om me om te draaien. Boos schud ik z'n hand van me af. Wat denkt hij wel? Begrijpt hij dan niet dat ik het soms he-le-maal heb gehad met hem? En al helemaal met mijn moeder, die dit achterlijke plan heeft bedacht! Oké, ik weet dat ze het moeilijk heeft gehad en nu misschien nog steeds, maar om daarom nou zo'n achterlijk plan te bedenken...

'Liona,' begint hij weer. Ik zou bijna mijn eigen naam vervelend gaan vinden. 'We hebben er heel goed over nagedacht, dit is echt de juiste beslissing.'

Dan kan ik me niet meer inhouden, terwijl ik me zó had voorgenomen nooit meer iets tegen hem te zeggen. Ik schreeuw: 'Ach, joh! Rot toch op met je: "Dit is echt de juiste beslissing"! Voor jullie misschien, maar denken jullie ook óóit eens aan mij?' Ik kijk hem kwaad aan. Shit, nog een belofte aan mezelf verbroken.

Mijn vader kijkt me beduusd aan met een forse rimpel in zijn voorhoofd, die alleen maar elke dag groter lijkt te worden. Zijn grijze stekeltjeshaar piekt omhoog door de grote hoeveelheid gel die hij erin gesmeerd heeft.

'Nee, dus! Jullie houden nooit rekening met mij!' Ik spring van mijn bed af en ren woedend de kamer uit. Tranen prikken in mijn ogen. Ik storm de trap af, schiet in mijn afgetrapte gympen waar mijn ouders al honderdduizend keer iets van gezegd hebben, en maak aanstalten om naar mijn vriendin Juna te gaan.

Mijn moeder probeert ook nog even haar overredingskrachten uit: 'Meisje, het wordt heus wel leuk!' Waarop ik de voordeur met een klap dichtgooi. Zo hard mogelijk, zodat ze het extra goed voelen wat een achterlijk idee ik het vind.

Ik sleur mijn fiets uit de schuur en race het pad af, de straat uit. Ik sta op mijn trappers om zo snel mogelijk bij Juna te zijn. Achterlijke mensen. Egoïsten! Altijd maar wij, wij, wij. En ik? Ho maar. Ze kunnen de pot op. Ik ga echt niet mee met hun stomme idee. Het slaat gewoon nergens op! Het zweet voel ik al op mijn rug prikken. Gelukkig dat ik een donkerpaars shirtje aan heb, anders zie je het zo. Het is ook zo heet vandaag! Ik sla de hoek om en ben binnen een paar minuten bij Juna, mijn enige en beste vriendin. Ik gooi mijn fiets tegen de heg en bel aan. Mijn hart klopt als een razende. Wild veeg ik de tranen van mijn wangen. Ik kan niet wachten om Juna het allemaal eens goed te vertellen.

De deur gaat open en Juna's moeder, Fien, verschijnt voor de helft van achter de deur. Ze heeft altijd de gekke gewoonte om de deur eerst op een kiertje te zetten voordat ze hem helemaal opendoet. Zodra ze me ziet, wordt ze compleet zichtbaar.

'Ah, Liona! Wat zie jij eruit... Jij wilt zeker Juna even spreken?'

'Ja, graag,' zeg ik hijgend met overslaande stem.

'Kom binnen. Juna! Liona is er!' buldert Fien.

Ik stap de koele hal in.

Juna komt de trap af en roept: 'Hé Lioon! Hoe is het? Je ziet er nogal... eh...'

'Verwilderd uit,' maakt Fien haar zin af. 'Wil je iets drinken?'

'Nee, bedankt,' antwoord ik met een vreemd hoge stem.

'Kom, we gaan naar boven,' zegt Juna. Ik volg haar naar haar knalroze kamer, waar we ons allebei op het bed laten vallen. 'Nou, brand los,' lacht Juna.

Ik adem een keer diep in en gooi het hoge woord eruit: 'Mijn ouders willen emigreren.'

'Echt?' Haar ogen worden bijna zo groot als de schoteltjes onder de koffiekopjes, en haar wenkbrauwen verdwijnen onder haar lok.

Ik knik een keer heftig met mijn hoofd.

'Shit, man!'

'Ja, nogal.'

Juna valt stil. Ze lijkt diep na te denken. Ik staar naar de vuile neuzen van mijn afgetrapte gympen.

Dan vraagt ze voorzichtig: 'Waar ga je heen, dan...?'

'Oostenrijk.'

'Oostenrijk? Wat moet je dáár nou weer?'

Ik trek mijn schouders fel op. Na een korte stilte vraagt ze: 'Wanneer, weet je dat al?'

7

'Nou, als het aan mijn ouders ligt, zo snel mogelijk,' antwoord ik chagrijnig.

'Kom, we gaan een handtekeningenactie opzetten!' roept Juna. Haar ogen stralen weer, zoals altijd.

'Denk je echt dat dat nog zin heeft?' vraag ik terwijl ik op mijn lip bijt.

Ze zucht. 'Nee, eigenlijk niet...'

Er valt weer een korte stilte, waarin ik naar haar vloerbedekking met draadjes kijk.

'Nou, ik kom je zo vaak mogelijk opzoeken in Oostenrijk, hoor.'

Ik verbaas me erover hoe snel ze het accepteert. Daar kan ik een voorbeeld aan nemen... Trouwens, ik hoef het helemaal niet te pikken dat mijn ouders me dwingen om mee te gaan! Ik ben oud en wijs genoeg om over mijn eigen toekomst te beslissen. Dat hoeven zij niet voor mij te doen! Opeens valt Juna me om mijn nek. Ik ruik haar luchtje, dat ik straks moet gaan missen...

'Liona eet bij ons,' zegt Fien aan de telefoon. Ze bood het zelf aan, dus dat heb ik niet geweigerd. Ik hoef die lui voorlopig niet meer te zien. Fien legt de hoorn erop en vraagt aan me: 'Wat is er nou allemaal aan de hand, meisje?'

Juna is me vóór met vertellen: 'Ze gaan emigreren, mam.'

'Echt?' Ik knik.

'Waar naartoe?'

'Naar Verweggistan,' mompel ik. 'Naar Oostenrijk, dus.'

Fien vraagt met haar handen in haar zij: 'Hebben ze dat wel met jou overlegd?'

'Neej.' Ik plak er een 'j' achteraan, zodat ik mijn antwoord extra duidelijk maak.

'Dat vind ik geen stijl. Zo'n ingrijpende beslissing neem je niet buiten je kind om.' Haar wenkbrauwen, die uit twee potloodstreepjes bestaan, schieten omhoog, net zoals die van Juna net. Zou het erfelijk zijn om je wenkbrauwen zo te bewegen?

'Nou ja. We zijn al wel iets van acht keer in Oostenrijk geweest. En Oostenrijk is best oké.'

'Maar om er nou te gaan wónen...' maakt Juna mijn zin af. Ze neemt een teug thee en verslikt zich. Ik kijk haar lachend aan. Wat een meid is dat ook. Ze weet me altijd aan het lachen te maken! Opeens besef ik dat ik me een stuk beter voel dan toen ik daarstraks hier mijn fiets in de heg gooide.

Fien haalt haar handen uit haar zij. 'Denk je dat het komt door de overspannenheid van je moeder?'

'Ja, ik denk het. Sinds ze bij die psycholoog is geweest, is het enige waar ze aan denkt dat ze alleen nog maar dingen moet doen die ze leuk vindt. Het recept dat ze van die man heeft gekregen: vooral veel naar Oostenrijk gaan om alle stoom af te blazen. Hij heeft haar gewoon gehérsenspoeld!'

'Hoe lang gaat het duren?' vraagt Juna als ze eindelijk uitgehoest is.

Ik haal mijn schouders op.

'Hopelijk nog héél lang, hè Lioon?' Juna slaat een arm om mijn schouders heen.

Ik knik: 'Daar gaan we voor.' Opeens merk ik dat mijn hart alweer wat rustiger is. Ik trouwens ook.

Als ik die avond om negen uur thuiskom, probeer ik geluidloos naar boven te vluchten. Maar ik struikel over die zevenmijlslaarzen van m'n pa. Meteen gaat de kamerdeur open.

'O, Liona. Ben jij het,' concludeert mijn vader.

'Ja, wie anders? De Kerstman?' Ik draai met mijn ogen.

'In de lente?' vraagt hij zogenaamd lollig.

Ik zucht en loop de trap op. Nu hoef ik niet zachtjes meer te doen.

'Liona, we willen even met je praten!' roept mijn moeder vanuit de kamer. Ik draai nogmaals met mijn ogen en loop gewoon verder. Ik hoor dat ze de gang in komt, en dat mijn vader zegt: 'Laten we het morgen maar doen.'

Ik knal de deur dicht. Ik probeer te googelen hoe lang het duurt voordat je alles hebt geregeld voor een emigratie, maar ik vind niks nuttigs. Toch blijf ik nog twee uur achter de computer hangen. Alle informatie die ik kan vinden over emigreren schrijf ik puntsgewijs op. Algauw is mijn hele blad ondergeklad met aantekeningen. Het wordt me wel duidelijk dat er nog zó'n hoop geregeld moet worden! Ik glimlach. Mijn ouders zijn op hun leeftijd niet meer zo snel met dingen regelen. Dus het zal nog wel een paar jaar duren voordat ze alles klaar hebben voor vertrek. Ik val gerustgesteld neer op mijn bed. Er schuiven wat herinneringen door mijn hoofd van vroeger. Van toen ik Oostenrijk nog leuk vond. Nu niet meer. Ik wou dat Oostenrijk niet bestond. Dan hoefden we er ook niet naartoe te emigreren.

Ik pak mijn plakboek erbij met footootjes die ik vijf jaar geleden heb gemaakt met zo'n wegwerpcamera. Prachtig vond ik dat ding. Toen oma op bezoek kwam (dat doet ze altijd als we net een halve dag thuis zijn en het huis nog vol rotzooi staat), heb ik met haar een plakboek gekocht en samen hebben we de onder- en overbelichte fotootjes ingeplakt, terwijl mijn moeder als een gestreste kip door het huis ging om alles op te ruimen.

Ik blader door het boek: ik met een grote glimlach, papa met een grote glimlach, mama met een even grote glimlach. Straks scheuren we met zijn allen nog uit. Iedereen is zo gelukkig op die stukjes bedrukt papier... Er is ook een foto van de berg achter onze camping, die ik zo mooi vond. Iedere ochtend wanneer ik uit mijn tentje kroop, zei ik die berg gedag. Wat hield ik toen van Oostenrijk! Nooit meer wilde ik er weg. Ik sluit mijn ogen en probeer vol overgave van Oostenrijk te houden. Weer dat gevoel terug te krijgen dat ik toen had. Maar het lukt niet. Steeds zoeft het door mijn hoofd dat ik daar ga wonen, dat ik dat niet wil. Nee! Ik wil écht niet! Ik sla het boek met een zucht dicht. Dit heeft toch geen zin.

Mijn ouders denken ook écht alleen maar aan zichzelf. Ik ben me ervan bewust dat ik weer begin met mokken, maar ik kan het niet stoppen. Want toen ik laatst weer een keer over een hond begon – die ik al járen wil, zo'n husky – kreeg ik te horen dat dat toch écht niet kon, beslist níet. En nu willen zij emigreren, maar luisteren ze niet eens naar mijn mening. Oké, het is natuurlijk prima dat m'n ma zoekt naar iets waardoor ze niet meer overspannen raakt, want dat was geen pretje, maar waarom schrijft die psycholoog of psychiater of *whatever* dan geen recept van een of ander kalmerend middeltje voor? Dan hoeven wij, althans ik, er niet onder te lijden.

Zuchtend sluit ik mijn ogen en val in een onrustige slaap, waarin ik gillend wegren met mijn hond. Mijn ouders komen er zwoegend achteraan, omdat ze hele pakken papier met regeldingen voor de emigratie met zich mee zeulen.

De volgende ochtend word ik met kleren en al aan wakker in bed. Gisteren kennelijk in slaap gevallen zonder dat ik het wist. Logisch, eigenlijk. Ik trek een schoon shirt aan en loop slaapdronken de trap af, en struikel in de gang verdorie alweer bijna over die verdomde laarzen van pa. Ik geef ze een schop waardoor ze midden in de gang belanden. Geïrriteerd kom ik de woonkamer binnen, waar mijn vader aan een uitgebreid gedekte ontbijttafel opkijkt van zijn krant.

'Goedemorgen,' zegt hij zo nonchalant mogelijk. Maar ik heb ze door. Die tafel is alleen maar zo gedekt om mij langer aan het ontbijt te laten zitten zodat ze uitvoerig kunnen preken. Denk maar niet dat ik daar intrap! Mijn moeder komt met een pot thee aanlopen vanuit de keuken. Ze heeft heel wat zachtere trekken in haar gezicht dan een paar jaar geleden, toen ze nog helemaal stijf stond van de stress. Ze werkte op een kantoor dat alleen maar was gericht op winst maken. Ten koste dus van hun medewerkers.

'O, hoi meis. Lekker geslapen?' vraagt ze.

'Best.'

Ze schenkt een theeglas vol, op de plek waar voor mij gedekt is. 'Ik heb karamelthee gemaakt.' Waarom is dat nou mijn lievelingsthee? Nu kan ik er gewoon niet meer onderuit: ik schuif de houten stoel naar achteren en ga op het krakende ding zitten. Mijn handen gaan als vanzelf naar de linkerkant, waar een stukje riet uitsteekt. Daar kun je zo lekker aan plukken.

Ik staar maar naar mijn lege bord en zie door mijn wimpers dat mijn vader de krant opzijlegt en dat mijn moeder ook gaat zitten. Doe nou eens een keer aardig tegen die mensen, Liona. Ze doen ook alleen maar hun best, probeer ik mezelf om te praten.

Waarom gun je hun dat pleziertje nou niet? Ze hebben jarenlang voor jou klaargestaan. Nu moet je iets terugdoen. Meteen schieten er weer allemaal tegenargumenten door mijn hoofd. Ik zucht diep.

'Wil je ook een broodje, Liona?' vraagt mijn moeder zonder het antwoord af te wachten. Omdat ze iets te ver weg zit gooit ze het broodje maar op mijn bord.

Ik pak het ding op waar meteen allemaal schilfers vanaf vallen. Ze bakt ze altijd veel te hard. Maar ach, het is weer eens iets anders dan gewoon brood.

Na een paar minuten waarin iedereen stil een broodje belegd heeft, begint mijn vader aan zijn verwachte speech. Met volle mond. Yes.

'We willen het er nog even over hebben,' zegt hij, terwijl hij spettertjes brood met pindakaas de tafel over schiet als kogels. Gelukkig zit ik te ver weg om getroffen te worden.

'Waar wil je het over hebben?' vraag ik. Ik weet het antwoord natuurlijk al, maar goed. Uit alle macht probeer ik mijn irritatie te onderdrukken.

'Over onze emigratie,' zegt ma.

'Ónze?' gil ik uit. Nu vliegen bij mij ook kogels uit mijn mond. Oké, morgen maar weer proberen om aardig te zijn, en rustig. 'Je weet nog niet eens wat ik ervan vind!'

'Nou, dat hebben we wel gemerkt,' mompelt mijn vader.

'Doe nou even rustig,' verzucht mijn moeder.

Ik neem boos een reuzenhap.

'Je weet al heel lang dat we weg willen uit Nederland, Liona.'

Ik grom wat onverstaanbaars. Ik neem er maar een slok thee bij, en verbrand mijn tong. Ook dat nog.

Mijn moeder zegt zo vriendelijk mogelijk: 'Je gunt ons het niet, hè?'

'Ja, en jullie gunnen mij al helemaal niks,' grom ik. Ik kijk naar mijn pa, die met gevouwen handen zijn mond leegkauwt. Ik knijp mijn ogen tot spleetjes.

'Als jij nou beslist niet mee wilt, dan kunnen we misschien wel wat regelen dat je op jezelf gaat wonen of zo,' zegt m'n ma. 'Dat zal vast wel lukken.'

'Ellen, dat kind is amper vijftien!' roept mijn vader. 'Daar hebben we het al over gehad.'

'O, nou wordt het nog mooier! Gewoon beslissen om míj te dumpen, zodat jullie ongestoord naar dat rotland kunnen!'

'Dat hebben we helemaal niet gezegd.' Mijn moeder zucht. 'Ik zeg alleen maar dat als je het zó verschrikkelijk vindt om met ons mee te gaan, dat we best kunnen kijken of er nog een andere optie voor jou is. Maar ons besluit staat vast.'

Er is verdorie geen speld tussen te krijgen, mok ik. Chagrijnig klok ik mijn thee naar binnen en schuif ruw mijn stoel naar achteren.

'Wat ga je doen?' vraagt mijn vader verbaasd.

'Weg. Ik hoef jullie niet meer te zien.'

'We zijn nog niet klaar met jou, dame!' roept hij me na. Nog net voordat ik de kamerdeur dichtsla, hoor ik dat mijn moeder sust: 'Het is de leeftijd. Ik had ook niet anders verwacht.' Ik sta nog even te luisteren achter de deur. Mijn vader mompelt wat, waarop mijn moeder zegt: 'Ze moet even aan het idee wennen. Het is nogal wat, 1200 kilometer verderop een nieuw leven beginnen.'

Ja, dat is het zeker. Ik loop de tuin in, schop tegen een graspol die de lucht in vliegt en ruk de deur van de schuur open. Ruw sleep ik alle spullen naar buiten die ik niet kan gebruiken voor het opbouwen van een nieuw, ouderloos plekje. Wat zal dat heerlijk zijn! Ik hoor dat de tuindeur opengaat en mijn vader roept: 'Wat ben jij in hemelsnaam aan het doen, daar? Ik heb al die spullen vorige maand nog netjes neergezet!'

En vervolgens is daar ook mijn moeder weer. 'Ze is zich alvast aan het voorbereiden op de verhuizing.'

Daarna wordt het weer stil en hoor ik de deur dichtgaan. Ik kijk rond: de schuur is vanbinnen aardig leefbaar geworden voor een eenzame puber. Nu nog een bed en een bureau. Ik sleep een grote kist met een paar spinnenwebben eraan van de muur af. De volgende keer dat mijn pa de schuur opruimt, mag hij ook best meteen even schoonmaken! Vervolgens pak ik een stuk brandhout als stoel en bekijk het resultaat. Geweldig. Nou ja, je moet er iets voor overhebben om actie te voeren...

Alleen nog wat voorraden, zodat ik niet met ze mee hoef te eten. Dan hebben we ook geen ruzie meer aan tafel. Maar dan heb ik ook een gasstel nodig. O, en ik heb ook nog een luchtbed nodig... Maar ja, dan moet ik wel weer naar binnen... Even sta ik te dubben, maar dan ga ik toch op jacht. Als ik met het luchtbed en het gasstel onder mijn arm door de woonkamer loop om in de keuken wat voedsel te zoeken, zie ik pa en ma samen achter de computer zitten. Mijn oog valt op de naam van de site: 'Hoeks verhuizingen. Voor binnen- en buitenland'. Ik kijk met moeite de andere kant op en graai wat eten mee uit de voorraadkast, terwijl ik mijn wang haast kapotbijt.

Na anderhalf uur bekijk ik het resultaat van mijn nieuwe woning. Het lijkt meer op een berghut dan op het huis van een puber, maar dat maakt niet uit. Hoe kom ik nou weer bij een bérg-hut?! Ik begin nu al alles te associëren met Oostenrijk, en dat terwijl het misschien nog wel twee jaar duurt! Zou ik dan toch al beginnen te wennen aan het idee...? Ik voel een angstgolf door mijn lichaam trekken die ik al slikkend probeer weg te krijgen. Ik zink neer op mijn bureaustoel – lees: stuk brandhout – en steun met mijn hoofd in mijn handen. De angst trekt weg. Ik kijk om me heen, naar mijn nieuwe huis. Het ziet er best gezellig uit, probeer ik mezelf wijs te maken.

Het wordt al een beetje schemerig als ik aan mijn avondeten begin: een aangebrande aardappel en verschroeide worteltjes uit blik. Ik moet de gebruiksaanwijzing van het gasstel nog even doornemen, geloof ik. Stom eigenlijk, want ik heb het m'n pa al zó vaak zien doen op de camping in Oostenrijk! Hè, alweer zit Oostenrijk in mijn hoofd. Ik gooi de verbrande aardappel terug in het pannetje. Ik ben het zat. Het licht is hier ook nog niet uitgevonden (normaal gesproken kom ik alleen overdag in dit krot), dus sms ik Juna maar of ze zin heeft om een ongelukkige tiener op bezoek te krijgen. Ze sms't terug: SRRY LIO, MAAR K BEN MET MN MA NAAR DE BIOS. OUWELULLEN FILMPIE KIJKEN ;) Ik zucht, sta op en stoot mijn hoofd aan een peertje dat uit het plafond komt bungelen. Licht! Ik tast de wanden van de schuur af en vind niet alleen het lichtknopje, maar ook een splinter in mijn vinger. Bij het knipperende zwakke licht bekijk ik het hout dat uit mijn wijsvinger steekt, in een stuk rode huid.

Dan gaat opeens de schuurdeur open. Mijn moeder verschijnt in de deuropening. Ik kijk haar achterdochtig aan. Ze kijkt niet terug. Sterker nog, ze bewondert mijn inrichting.

Dan knikt ze: 'Mooie nieuwe kamer.' Ik slik mijn woorden in

en ga weer met mijn rug naar haar toe zitten. Dag, ma. 'Kom je niet weer binnen? Het is zo stil zonder jouw pu-'

'Nee.'

Ze is even stil. Ik herhaal net zo lang in mijn hoofd de woorden 'dag ma', totdat ze echt weggaat. 'Doei,' mompel ik. Mijn mondhoek schiet omhoog. Het is echt een goed idee, een eigen huis te maken. Geen gezeur van pake en moeke. Goed bedacht, Lio! Buiten hoor ik mijn moeder de gammele houten deur met een klap dichtdoen, gevolgd door een schop, omdat de deur slecht sluit door de verroeste scharnieren. Ze sloft over het gras.

Opeens staat ze stil. 'We doen de deur op slot, hoor. Want je vader slaapt niet lekker met de kans op inbraak.' Ik draai met mijn ogen. Dan hoor ik haar weer verder sloffen en als ze binnen is de deur op slot draaien. Stelletje zeikerds. Ze kunnen me gestolen worden.

Na een halve avond pulken slaak ik een zucht van verlichting als ik de splinter eruit heb. Mooie avondvulling was dat. Tja, dat krijg je als je geen tv hebt, hè... Dan neem je genoegen met de halve avond je vinger bevrijden van een splinter. Ik zucht en leun achterover. Zal ik maar weer naar binnen gaan? Hier is er niks aan. Zo in je eentje. Ik kom met een schok tot de ontdekking dat ik dan ook eigenlijk niet in mijn eentje wil wonen. Dus dat betekent dat ik dan wel mee moet naar Oostenrijk! Ah, bah. Ik besluit om het toch nog maar even vol te houden zo moederziel alleen in de schuur, in de hoop dat het went...

Het is toch al midden in de nacht als ik verkleumd van de kou, die uitgerekend nu in de lucht hangt, opeens een luid: 'sssssss' hoor. Ik schiet overeind en stoot mijn voorhoofd aan het piep-kleine vensterbankje dat ze zo hebben gemaakt dat er niks op kan staan, maar wel zo dat ik er een blauwe plek aan overhoud. Ik zoek naar de plek op het luchtbed waar het gesis vandaan komt. Nog voordat ik die heb gevonden, lig ik op de kruimelige, zandcrige vloer van het tuinhuisje, en kom ik tot de conclusie dat het maar één ding kan betekenen: het luchtbed is lek. Cha-grijnig schiet ik in mijn slippers, die nat zijn van de dauw, en been met mijn kussen en al de tuin door. Ruw duw ik de deur-klink naar beneden, die tot mijn grote ergernis wel naar bene-den gaat, maar waardoor niet de deur opengaat. O, verdorie! Dat is waar ook. M'n pa heeft een inbraakfobie. Ik sta op het punt om te brullen dat ze de deur van het slot moeten halen, maar be-denk dan dat ik niets meer met ze te maken wilde hebben. Dus sjok ik maar weer door het natte gras terug naar mijn 'huis', en ga op de harde vloer liggen. Kijk mij nou, denk ik vol zelfmede-lijden.

Na een kwartier kom ik tot het besluit dat ik het gehad heb met dat op-mezelf-wonen-gedoe. Dus stap ik maar weer over op de gedachte die het eerst in me opkwam toen ik de deur-klink naar beneden duwde en ontdekte dat de deur op slot zat.

Ik loop de tuin door en gil: 'Pap, mam?! Doe open!' Ik wacht af. En ik wacht af. En ik wacht nog meer af, totdat mijn geduld op is en ik weer schreeuw: 'Doe nou open! Ik wil naar huis!' Ik schop tegen de deur en spring over het hekje dat de tuin scheidt van de straat. Uitgerekend wanneer ik in mijn pyjama de straat op spring, komt er een clubje jonge mensen voorbij. Ze lachen en wijzen naar me. O, dit is echt gênant! Zo rustig mogelijk doe ik het tuinhekje open en ik loop zo nonchalant mogelijk weer de tuin in. Ik hoor ze nog lachen en joelen. Hopelijk zijn ze zo dronken dat ze het zich niet meer kunnen herinneren, morgen.

Wat nu? Bijtend op mijn lip slof ik maar weer terug naar mijn berghut. Ja, mijn bérghut. Om alvast te wennen aan het idee. Ik sleep mijn luchtbed naar buiten en leg het op het gras. Dat ligt zachter dan die harde vloer in de schuur. In de zomer lig je immers ook altijd op het gras te zonnen. Terwijl ik ga liggen en mijn deken over mijn kin trek, hoop ik dat het droog zal blijven. Ik sla mijn ogen op naar de hemel en stel mezelf gerust. Ja: ik zie sterren. Dat betekent: geen wolken, en dus geen regen. Dan sluit ik mijn ogen en val na een tijd in slaap.

De volgende ochtend word ik vroeg wakker. Alles is stijf van de kou, en nat. Als ik de slaap uit mijn ogen wrijf, herinner ik me mijn droom weer. Ik droomde van de psycholoog, die als een soort rechter hoog op een tafel ging staan. Hij zwaaide met zijn hamertje en wees met zijn vinger naar ons gezin, dat rillend en klein voor hem stond. Toen wees hij naar de deur en riep: 'Jullie zijn verbannen naar Oostenrijk!'.

Ik wurm me uit mijn natte dekens en loop naar ons huis. O ja, de boel zit op slot. Dubbend sta ik voor de deur, terwijl ik mezelf opjut dat ik snel een oplossing moet verzinnen voor er weer voorbijgangers langskomen en ik in een soortgelijke situatie als gisteren beland. Dan zie ik opeens dat mijn raam een stukje openstaat. Eureka! Zoals in van die films klim ik via de regenpijp omhoog. Gelukkig weeg ik niet zo veel en is de regenpijp sterk. Maar de snelheid waarmee ze op tv zo'n regenpijp beklimmen, die haal ik niet. Hijgend en kreunend hijs ik me over de vensterbank en laat me op de vloer vallen, waar ik even uitpuf. Makkelijk hoor, inbreken als de deur op slot zit. Ik zal het maar niet aan m'n pa vertellen...

Dan loop ik zo zacht mogelijk naar beneden, en rommel daar ook zo stil als ik kan in het ladekastje naast de telefoon. In het uitklapadresboekje van mijn moeder vind ik na enig gezoek het telefoonnummer van die psycholoog van haar. Ik neem de telefoon mee naar buiten, naar mijn 'huis'. Ik vraag me af hoe hij eruitziet. Jong? Oud? Met een brilletje en een baard en een kladblokje op schoot? Of is hij zo modern dat hij het gesprek met zijn mp3 opneemt? In mijn tuinhuis draai ik het nummer. Gelukkig is het zijn privénummer, want een instelling is nu nog niet open. En ach, wat geeft het als ik die man uit bed bel? Zonder zijn rare ideeën om mijn moeder van haar overspannenheid af te helpen, was ik nu ook niet zo vroeg wakker. Want dan hoefde ik niet in een schuur te slapen om uit te proberen of ik alleen in Nederland achter kan blijven. Na enig getuit in mijn oor hoor ik een schorre mannenstem aan de andere kant van de lijn.

'Uch, uch,' kucht hij eerst. 'Met Benjamin.'

'Hallo meneer. Met Liona. Ik wilde even wat vragen. Bent u psycholoog?'

Weer een 'uch'. 'Ja, dat klopt.' Opeens klinkt hij heel wat zelfverzekerder. 'Waarmee kan ik je helpen?'

'Nou, het gaat hierover. Zit u trouwens goed?' Ik glimlach. Ik zal die man eens even om gaan praten, zeg!

'Ja,' zegt die Benjamin nog ook.

'Nou, mijn moeder, Ellen den Hoet, is bij u onder behandeling.'

De man laat een luisterende brom horen. 'Zij heeft mij eergisteren verteld dat ze wil gaan emigreren.'

'O ja?' Ja, anders zeg ik het toch niet?!

'Ja, en dat is úw schuld.' Het is even stil aan de andere kant van de hoorn.

'Hoe bedoel je, Liona?'

'Als u mijn moeder niet helemaal gehersenspoeld had met uw leuke ideetje om haar maar als recept Oostenrijk voor te schrijven, dan zou ik nu niet in een schuur slapen en zou onze band nog goed geweest zijn. Dat is dus úw schuld.' Ik glimlach zelfingenomen.

'Ik zou niet weten waarom dat mijn schuld is. Ik beoefen alleen maar mijn vak. Ik hoor je moeder aan, en geef hier en daar wat adviezen en handvatten om haar uit haar probleemsituatie te halen.' Mijn glimlach verdwijnt langzaam van mijn gezicht. Waar ben ik eigenlijk mee bezig?

'Waarschijnlijk heeft u dan gezegd als handvat of als advies om maar naar Oostenrijk te emigreren, of niet?'

'Nee, Liona. Dat zie je verkeerd.' Oké, dit gaat dus niet erg werken... Ik staar naar het peertje dat uit het plafond komt. Er liggen dode vliegen in.

We zijn allebei even stil. Ik hoor het lichte gezoem van de telefoon in mijn oor. Bijtend op mijn lip vraag ik: 'Wat moet ik dan doen...?'

'Het besluit van je moeder accepteren. En nu moet ik mijn kinderen naar school brengen. Sorry. Doe je moeder de groeten van mij.'

Een luid gepiep vult mijn oor. Hij heeft gewoon opgehangen! Verbijsterd druk ik de telefoon uit. Wat moet ik nou weer doen?

Het accepteren, zei die man. Maar hoe? Dat vertelt hij er dan weer niet bij. Hij is toch de psycholoog? Hij zal toch wel overal een oplossing voor hebben...?

Met hangend hoofd besluit ik dat ik maar een bad ga nemen, dan kan ik alles nog even goed overdenken.

# 2

Gisteren heb ik dat verdomde lek in het luchtbed opgezocht met zo'n teiltje water, zoals ik mijn vader al zo vaak heb zien doen. Ik wilde geen hulp vragen aan hem, wat achteraf gezien wel handiger zou zijn geweest. Anderhalf uur lang ben ik namelijk met dat minuscule gaatje bezig geweest, omdat eerst de lijm verdroogd was en ik dus op de fiets naar de doe-het-zelf-winkel moest, toen plakten steeds mijn vingers aan elkaar (ik had secondelijm gekocht omdat me dat wel handig leek – dat droogt lekker snel), en daarna was de schaar zo bot dat ik geen rubberen rondje uit kon knippen, zodat ik het met een stanley-mes moest doen, waarbij ik natuurlijk steeds uitschoot zodat ik weer opnieuw moest beginnen omdat mijn rondje doormidden was...

Toen ik daarmee klaar was, heb ik de hele dag min of meer zitten bedenken hoe ik het dan allemaal moet accepteren, zoals Benjamin zei. Wil ik het wel accepteren? Moet ik dat eigenlijk wel? Hoe dan ook, het gesprek heeft de hele dag in mijn hoofd rondgezoemd als een irritante vlieg. Uiteindelijk kwam ik tot de conclusie dat het een beetje stom was geweest om te bellen. Maar ja, daarmee loste ik het vraagstuk in mijn hoofd niet op. Ik hoopte stiekem eigenlijk ook wel op een belletje terug van die meneer Benjamin de psycholoog, omdat hij zijn kinderen opeens moest wegbrengen. Je kan een gesprek toch niet zo snel afbreken? Oké, het was geen leuk gesprek en misschien dacht hij me mooi af te kunnen kappen met een smoes over zijn kinderen. Maar hij kon best wat dieper ingaan op zijn punt over het accepteren. Hij weet het toch zo goed? Hij heeft daar toch voor gestudeerd?

Uiteindelijk belde hij natuurlijk niet. Ik staar door het vieze ruitje van de schuur naar buiten, al kauwend op een mueslireep als ontbijt. Dan kom ik op het geniale idee om die man gewoon zelf terug te bellen om te vragen hoe ik dat nou moet aanpakken, dat accepteren. Ik graai in mijn schooltas. Zijn nummer heb ik in mijn agenda geschreven voor het geval dat. Dan pak ik mijn mobiel en wacht af tot hij aan de telefoon komt.

'Goedemorgen, met Benjamin.'

'Hallo meneer Benjamin, met Liona.' Meteen gooit hij de telefoon erop. Wat is dat nou weer?! Dat is toch geen stijl? En dat voor een psycholoog! Ik toets verbaasd weer het nummer in. Hij neemt niet op. Ik laat de telefoon zakken en houd hem slapjes in mijn hand. Ben ik te brutaal geweest? Maar later toch niet meer? Ik stop mijn telefoon weg.

Vandaag trouwens ook weer naar school. Héérlijk! Dat is ook best luxe, gewoon niet een hele dag door te hoeven brengen in mijn schuurwoning omdat pa en ma het échte huis bezet houden. Terroristen zijn het gewoon! Twee nachtjes letterlijk en figuurlijk afkoelen in de schuur heeft me goedgedaan. Ik besluit om mijn gezicht weer eens te laten zien in het echte huis. Ook voor praktische zaken, zoals mijn boek voor Engels.

Mijn moeder draait zich om in de keuken als ik de tuindeur opendoe.

'Zo, hoe is het bevallen in de schuur?' vraagt ze.

'Goed, hoor.'

'Eet je mee?' Ik kijk naar de ontbijttafel waar al een paar brood-jes en boterhammen in een schaal liggen. Ook al heb ik al een mueslireep naar binnen gewerkt, ik heb nog steeds trek.

'Ja, is best,' knik ik en ik schuif aan. Ik zie het maar als een be-zoek aan het ouderlijk huis. Ze zet een bord voor mijn neus, de rest staat al op tafel.

Ik smeer mijn boterham terwijl mijn moeder nog een derde plekje dekt.

'Voor wie dek je?' vraag ik. Mijn vader ontbijt nooit 's ochtends. Ja, een appel in de auto.

'Voor je vader.'

'Papa? Waarom?' Ik heb het nog niet uitgesproken of mijn va-der komt al binnen.

'Goedemorgen allemaal!' roept hij gewoon té vrolijk voor een maandagmorgen. Hij loopt naar mijn moeder en geeft haar een smakzoen op haar wang, die ze ondeugend glimlachend weg-veegt. Ik draai met mijn ogen. Gaan ze weer zo beginnen. Wat dat betreft ben ik de volwassene en zij de pubers.

'Heb je lekker geslapen in je tuinhuis?' vraagt hij, terwijl hij tegenover me gaat zitten. Zijn humeur lijkt met de dag beter te worden nu hij bezig is met die emigratie. Mijn humeur wordt juist alleen maar slechter.

'O, best hoor. Alleen het luchtbed was lek. Meteen al de eerste nacht.'

'Toch maar mee naar Oostenrijk?' vraagt mijn moeder.

Ik besluit maar geen antwoord te geven. Helaas heb ik wat minder hoop om niet naar Oostenrijk te hoeven... Mijn planne-tje om de psycholoog om te praten, was toch niet zo goed als ik eerst dacht. Daarnaast laat mijn vader me nooit als vijftienjarige alleen wonen in Nederland. En zou ik dat zelf wel willen, na die eerste nachten in de schuur...?

'Wat doe je hier eigenlijk?' vraag ik aan mijn pa.

'Ontbijten,' zegt hij vrolijk.

'Ja, duh. Je ontbijt nooit door de week.'

'Nu wel.'

'Papa is een dagje vrij om eens even wat dingetjes geregeld te krijgen,' zegt mijn moeder. Het lijkt alsof ze me als een kleuter ziet.

O, was ik toch maar in mijn schuurtje gebleven... Ik heb al geen zin meer om verder te vragen, want ik weet het antwoord al.

'Trouwens Lio, ik vind het niet goed dat je nog langer in die schuur blijft slapen.'

Ik vraag verbaasd: 'Hoezo?'

'Omdat je sowieso je rug verpest op dat luchtbed als je daar lang op ligt.'

Ik draai met mijn ogen.

'Ik wil dat je vandaag nog de potten aarde en zo terugzet.'

'Dus je wilt dat ik eruit ga?' vraag ik vol ongeloof.

Mijn vader knikt.

'Mooi niet. Ik woon daar nu.'

'Ik ga niet meer met je in discussie.'

Ik bijt mijn kaken op elkaar. Plotseling zie ik de hagelslag op tafel staan. Nooit eerder bij stilgestaan dat dat chocoladegoedje niet te krijgen is in Oostenrijk. Ik zet het pak achter de beschuitbus. Ik wil er niet langer bij stilstaan. Dan sta ik op van tafel. Naar school dan maar. Ik ben nog nooit zo vroeg op school geweest, maar het kan me nu niet schelen. Tss, wie zou ooit gedacht hebben dat ik nog eens school verkoos boven thuis...?

Op mijn dooie gemakje fiets ik naar school, waar het nog stil en verlaten is. De ochtendrust is nog niet verstoord, gelukkig. Dan heb ik alle tijd om eens rustig na te denken. En daarbij wil ik niet gestoord worden door het lawaai dat normaal op een schoolplein heerst: geschreeuw en gepraat, geknetter van brommers, en de meeuwen die luid krijsend boven het plein cirkelen in de hoop dat er weer eens een broodkorst valt. Wat kan ik doen om het hele plan te boycotten? Doen alsof ik een of andere ziekte heb, zodat we onmogelijk in een ander land kunnen gaan wonen? Onzin. Misschien de telefoon en het internet blokkeren zodat ze geen verhuizers, makelaars en ander regelpersoneel kunnen bereiken? Wat een achterlijk idee. Trouwens, ik kan ook niet zonder internet. Of wacht, ik zou natuurlijk ook bij Juna in kunnen trekken... Nee, zij zit ook niet te wachten op een zus erbij. Of ik kan natuurlijk ook doen alsof ik verschrikkelijk depressief ben! Dan krijgen ze misschien medelijden met me en zien ze van het plan af... Maar hoe moet je in hemelsnaam doen alsof je een depressie hebt?

Ik zet mijn fiets weg. Lekker dichtbij, nu ik kan kiezen uit 2000 plekken. Sjokkend loop ik het schoolplein over, terwijl oplossingen mijn hoofd in schieten en weer verlaten. Alle ideeën die in me opkomen, verwerp ik weer. Het ene idee is nog stommer dan het andere. Ik sta stil, snuif de Hollandse lucht op en zink neer op een ijskoude betonnen paal, die dient als zitje voor de rokers. Je zou toch acuut stoppen met roken als je de hele tijd op zo'n ding moest zitten! Laat staan dat het zo ongezond is als ik weet niet wat. Ik hoorde een keer een verhaal van een klasgenoot, dat als hij voor zijn achttiende nog geen vinger had uitgestoken naar een sigaret of sigaar, dat hij dan rijlessen kreeg van zijn ouders. Misschien kan ik voorstellen dat als ik vóór mijn achttiende nooit heb gerookt, dat ik dan niet mee hoef naar Oostenrijk! Maar ja, daar heb ik nu niks aan, aangezien mijn ouders nú willen emigreren en niet pas wanneer ik volwassen ben. Ik schiet overeind. Ja! Dat is een geniaal plan! Ik stel een compromis voor: Ik wil niet mee naar Oostenrijk, jullie willen nú emigreren. Dus ga ik mee als ik achttien ben. Dan heb ik eindexamen gedaan in Nederland, én kan ik als ik wil gewoon hier blijven omdat ik dan volwassen ben! Ja, dat ga ik doen.

Ik wacht en ik wacht en ik wacht. Wachten is saai, zo in je eentje. Pas vijf minuten voordat de bel gaat komt Juna aanfietsen. Ik had haar gesmst dat we niet samen konden fietsen omdat ik alvast naar school ging. Haar lange bruine haren wapperen in de wind. Met rode wangen komt ze na twee minuten aanlopen.

'Waarom ben je toch zo vroeg?!' roept ze, een beetje buiten adem.

'Ik had het helemaal gehad thuis.'

'Hoezo?' vraagt ze, als we samen de school binnen lopen.

'Ze beginnen er al meteen aan,' zeg ik.

'Echt?'

Ik knik.

'Balen! Ik had nog hoop dat ze ervan af zouden zien, maar niet dus.'

'Nee,' zeg ik nors.

'Je gaat toch wel een afscheidsfeestje houden?' Juna's blauwe ogen fonkelen hoopvol. Je zou haast gaan denken dat ze het leuk vindt dat ik wegga, alleen al omdat ze zo graag naar feestjes gaat.

'Ik moet er nog niet aan denken...'

'Ja, dat is ook wel waar. Het is ook helemaal niet grappig.'

Als ik aan het eind van de middag thuiskom, zitten mijn ouders precies zo achter de computer als ik verwachtte (maar niet gehoopt natuurlijk), zo zie ik door het raam in de keuken. Ik moet mijn boeken voor morgen nog halen, dus loop ik toch maar even naar binnen. Op weg naar de keuken kom ik langs mijn ouders, aangezien de computer naast de woonkamerdeur staat.

'Hé, Lio! Hoe was je dag?'

'Beter dan thuiszitten,' zeg ik nors. Het was helemaal niet mijn bedoeling om weer zo te reageren, maar het gebeurt gewoon vanzelf. Zal ik nu mijn idee vertellen? Even twijfel ik, omdat ze nog steeds hun ogen op het computerscherm gericht hebben en er weinig aandacht is voor mij. Dan hak ik de knoop door. 'Ik heb een voorstel,' zeg ik.

Ze kijken op, gelukkig maar.

'Waarom emigreren we niet als ik achttien ben?' Ik wil meteen mijn argumenten opnoemen maar krijg er de kans niet voor, aangezien mijn vader er meteen overheen walst.

'Nee, Liona. We gaan nu. We hebben nu het besluit genomen, nu kunnen we het aan.'

'Ja, maar ik heb dan veel meer toekomst! Ik heb dan mijn vwo afgemaakt en heb veel meer kans op een baan en een studie!'

Mijn moeder zegt: 'Je gaat naar de realschule in het dorp. Daar maak je je studie toch af, Liona? Daar hebben we het nog over gehad.'

'We hebben het er helemaal niet over gehad!' val ik uit.

Mijn vader draait zijn hoofd van me af en kijkt weer naar die achterlijke computer. Ik heb zin om het ding uit het raam te gooien.

M'n ma haalt even haar schouders op en zegt: 'Sorry, maar we gaan. Punt.'

Ik draai me razendsnel om en been naar de schuur.

Zodra mijn ogen aan de schemer zijn gewend, valt mijn mond open. Heel mijn inrichting is weg! Mijn bureau, mijn luchtbed, mijn spulletjes... Alle tuinmeubels staan er weer, en alle potten en aarde!

Ik loop met grote passen naar het huis, waarbij ik het gras bij elke stap flink platstamp. Fijn dat mijn vader altijd zo bezorgd is om het gras, want dan kan ik hem op deze manier terugpakken.

'Wat hebben jullie gedaan?!' roep ik met overslaande stem. Mijn ouders kijken me aan.

'We hebben het er vanmorgen nog over gehad, Liona. En als jij het niet wilt opruimen, dan doen wij het voor je.'

'Hallo! Het is mijn húís! Ik kies er toch voor om niet mee te gaan naar Oostenrijk en op mezelf te wonen? Ik kan dat, en dat heb ik laten zien! En dat stomme luchtbed ligt prima! Ik heb mijn best gedaan, maar jullie wilden niet eens naar mijn voorstel luisteren!' Mijn wenkbrauwen heb ik in zo'n frons dat ik denk dat ik morgen spierpijn heb.

'Je gaat gewoon mee naar Oostenrijk, Liona,' zegt mijn moeder.

Ik roep vol ongeloof: 'Alleen maar omdat jij dat wilt?!'

'Denk nou eens na schat. Je bent pas vijftien! Dan ga je toch nog niet op jezelf wonen?'

'Echt wel! En het was nota bene jullie voorstel om op mezelf te gaan wonen als ik die stomme emigratie niks vond! Anders ga ik wel bij Juna wonen.' Ik voel tranen opkomen. Niet huilen, dat heeft geen zin!

'Denk je dat die mensen daarop zitten te wachten?' vraagt mijn vader, terwijl hij naar het computerscherm kijkt.

'Ik begrijp jullie écht niet hoor,' mompel ik met zo'n hoge stem dat ik hem zelf niet herken. Ik draai me om en ga naar mijn kamer. Wat moet ik nu?! Help me dan, wie dan ook! Wonen met ouders die het telkens maar hebben over de emigratie is verschrikkelijk. Ik wil niet, ik wil niet, IK WIL NIET! Hélp! Al is het de Kerstman, of Sinterklaas, al is het Winnie de Poeh, kan mij het schelen... Maar help me!

's Avonds plof ik neer in de fauteuil die nog van mijn overleden opa is geweest, en slinger mijn benen over de armleuning. Ik ben opeens zo moe... Mijn moeder zet een kop dampende thee voor me neer.

'Dank je,' zeg ik mat. Het kost me moeite om het te zeggen. Terwijl ik vanachter de damp van mijn thee naar mijn ouders kijk, wordt het me zo pijnlijk duidelijk dat het écht gaat gebeuren. Het begin is in elk geval al gemaakt, toen mijn ouders die website over verhuizingen open hadden staan. Beginnen aan iets is vaak de grootste stap. Wanhoop trekt met een heel leger door mijn lichaam. Er schieten tranen in mijn ogen die ik snel wegknipper. Wat moet ik nou doen? Wát?!

Mijn moeder kijkt een paar seconden naar me. Daarna vraagt ze: 'Gaat het, Lio?'

Ik knipper nog een keer goed en lul er dan overheen: 'Wat is dit voor thee?' Hij smaakt naar pepermunt. Bah.

'Alpenthee,' zegt mijn vader glimlachend.

'Heb jij die uitgekozen?' Het wordt hier steeds gekker, zeg. Straks loopt hij nog in van die lederhosen, je weet wel. En mijn moeder in zo'n jurk met pofmouwen en veters die je aan kan trekken, waardoor je borsten er zowat uit vallen.

'Jep.'

Ik zet de kop op tafel. Ik heb geen zin om huiswerk te maken en kijk vanuit mijn fauteuil naar mijn ouders. Ik kan me nog goed onze eerste vakantie in Oostenrijk herinneren. Ik was denk ik negen. Het was mijn eerste vakantie in het buitenland, en dan reken ik België niet mee, want met al die Vlamingen had je nog het idee dat je half in Nederland liep. Maar goed, ik zag de heuvels van Duitsland langzaam veranderen in kolossale, massieve reuzen, waarbij ik me zo klein voelde. Dat weet ik nog zo goed. Mijn ouders, die ook nog nooit in Oostenrijk waren geweest, hielden niet op duidelijk te maken dat ze toeristen waren, met hun: 'oh' en 'ah'. Ik had ze nog nooit zo veel goeds horen zeggen als op die vakantie: 'O, wat een aardige mensen toch' en: 'Wat een mooie natuur, hè?' en: 'Ach, wat een heerlijk eten!'

Ik weet ook nog hoe ik een keer ruzie had met mijn ouders toen we al een tijd terug waren van vakantie, en dat mijn moeder toen voor het eerst luid snikkend uitriep dat ze heimwee had naar dat land met de bergen. In de loop der jaren, toen we inmiddels elk jaar naar Oostenrijk op vakantie gingen, werd: 'Ik wil er zo graag gaan wonen', een veelgehoord zinnetje. Toen mijn vader ook begon mee te doen, besefte ik dat ik op moest passen. En toch kwam vorige week de mededeling: 'We worden Oostenrijkers, Liona', als een keiharde klap. Mijn kin trilt. Ik slik wat tranen in en bijt op mijn lip.

Dan zegt mijn vader plotseling: 'Lio, kom eens kijken.'

Ik slik een brok in mijn keel weg. Dan sta ik op en kijk naar het beeldscherm. Mijn vader wijst een chalet aan met een veranda. Aan de vensterbanken hangen bakken met geraniums. De zon schijnt op het huis. Toch wordt mijn bui er niet vrolijker op.

'Dat wordt waarschijnlijk ons huis.'

Ik ren naar mijn kamer, waar ik mijn vuisten bal en langgerekt schreeuw. Alle lucht pers ik uit mijn longen terwijl de tranen over mijn wangen rollen. Dan zak ik door mijn knieën en blijf met hangend hoofd en hangende armen een hele tijd op de grond zitten.

# 3

Een halve week later hoor ik mijn moeder thuiskomen van haar bezoek aan de psycholoog. Ja, die Benjamin die de telefoon erop knalde en mij liet zitten met zijn simpele: 'Je moet het accepteren.' Ik hoor hoe ze haar jas ophangt aan de ijzeren hangertjes die tegen elkaar tinkelen, mijn vader begroet en naar boven komt. Dan doet ze mijn kamerdeur open en sluit hem achter zich.

Ik vraag enigszins nieuwsgierig: 'Hoe was het bij de psycholoog?'

'Nou, de arme man is lastiggevallen.'

'O ja?'

'Ja. Door een meisje van vijftien dat Liona heet.' Ik kan een glimlach niet onderdrukken. Nou moet mijn moeder een luisterend oor aan hém bieden! 'En dat meisje heeft hem gezegd dat het zijn schuld is dat haar ouders besloten hebben om te emigreren.' Ze kijkt me aan. Door haar periode van overspannenheid is ze heel wat ouder geworden in haar gezicht. 'Liona, denk nou eens reëel na. Denk je nou echt dat we nog van gedachten gaan veranderen omdat Benjamin opeens zou zeggen dat het zijn schuld is en dat we niet moeten gaan?'

Ik kijk van haar weg en haal mijn schouders op.

Mijn moeder schudt haar hoofd. 'Geef je nou eens over. We gaan toch gewoon.'

34

'Ja, Benjamin zei ook al dat ik het maar "gewoon" moest accepteren. Nou, dat kan ik dus niet.'

'Nee, dat hebben we gemerkt.' Ze is even stil. Ik kijk naar haar, hoe ze daar staat met haar handen in haar zij. Dan buigt ze zich voorover en steunt met haar handen op het bureau. Haar gezicht is heel dichtbij als ze zacht vraagt: 'Weet je nog hoe fijn je het altijd vond in Oostenrijk?'

'Het is ten eerste niet "gewoon". En ten tweede: vónd ja. Heel goed gezegd. Maar mam, "denk nou eens reëel na". Om daar op vakántie te gaan is heel leuk. Maar om daar te wónen, dat is héél wat anders. En nu moet ik mijn huiswerk maken.' Ik draai me weer naar mijn schrift en pak mijn pen op.

Mijn moeder haalt haar schouders op en loopt mijn kamer uit. Met een schuine blik kijk ik haar de deur uit. Zodra ze uit het zicht is verdwenen, klap ik mijn schrift dicht. Ik kan me toch niet concentreren.

Een week later lig ik in mijn bed stil te luisteren naar mijn ouders, die toch nog aardig wat herrie maken met hun vertrek. Ze gaan twee weken naar Oostenrijk om dingen te regelen voor de emigratie. Ik staar in de duisternis en luister naar alle geluiden van koffers naar beneden zeulen, tassen verplaatsen, het gestress van mijn vader die natuurlijk op tijd weg wil, wat niet lukt vanwege mijn moeder. Dan wordt de deur dichtgetrokken en hoor ik even later de auto wegrijden. Ze hebben me gisteravond al gedag gezegd, om me nu niet wakker te hoeven maken.

Het is de eerste keer dat ik voor zo'n lange tijd alleen thuis ben. Ze wilden oma voor me inschakelen, of kennissen of andere mensen die in hun ogen geschikt waren voor twee weken babysitten. Maar ik kon ook al twee nachten overleven in een schuur, dus twee weken in een écht huis is vast wel te doen! Ik ben inmiddels ook al vijftien hoor, geen kleuter! Ik draai op mijn zij en probeer nog wat te slapen.

De volgende avond heb ik alles al gedaan wat ik in de twee weken wilde doen: schoolwerk bijwerken, mijn boek voor Nederlands uitlezen, mijn kamer stofzuigen enzovoort. Dus zit ik verveeld wat te zappen. Net op het moment dat ik het zat ben, wordt er gebeld. Ik druk de tv uit en loop naar de deur. Zou het een enge vent zijn? Een stalker, een dief? Even sta ik te twijfelen bij de hoek van de gang, net waar de aanbeller me nog niet kan zien. Er wordt nog een keer gebeld. Ik spiek om het hoekje van de muur en ontdek dat degene die aanbelde een vrouw moet zijn. Klein, vrouwelijke vormen, voor zover ik dat kan zien door het gewelfde glas van de voordeur. Ik trek mijn shirt recht en doe open. Daar staat Dion, een vriendin van mijn moeder.

'Hé, meidje!' roept ze vrolijk. 'Ik hoorde van je moeder dat je voor een tijdje alleen thuis zou zijn, dus dacht ik: ik kom eens eventjes kijken of het huis er nog staat!'

Ik glimlach. M'n ma heeft haar natuurlijk gewoon gestuurd omdat ze er geen vertrouwen in heeft dat ik alleen thuis kan zijn... 'Zo'n feestbeest ben ik nou ook weer niet!'

'Ja, joh. Dat weet ik wel,' grinnikt ze terwijl ze me een pakje overhandigt dat is ingepakt in knalroze papier. Net de kleur die ik haat. Maar het gebaar is aardig, dus glimlach ik zo blij verrast mogelijk en vraag of ze binnen wil komen. Ja natuurlijk, want mijn moeder heeft haar gestuurd en ze zal vast niet gezegd hebben: 'Kijk even als je langsloopt of alles nog goed is.'

Nee, bij mijn moeder moet alles zo grondig mogelijk gebeuren.

Dion stapt het huis in en kust me in het voorbijgaan drie keer op mijn wangen. Haar parfum bedwelmt me bijna. Ik onderdruk een hoestprikkel. Uit het knalroze pakpapier komen drie geurkaarsjes tevoorschijn, net zo roze als het papier.

'Je bent nou een echte meid aan het worden, dus dacht ik: roze is wel op z'n plaats.'

'Ja, dank je!' roep ik zo neutraal mogelijk. Ik weet niet hoor, maar waarom moeten meisjes altijd verplicht van roze houden?

We lopen de kamer in, waar ze aan de eettafel gaat zitten. Dat doet ze immers ook altijd als ze een kwekafspraak heeft met mijn moeder. Ik zet de geurkaarsjes op de tafel, waar ze nog best aardig staan. Ik denk dat ik ze straks maar aan m'n ma geef als welkom-thuiscadeautje.

'Wil je wat drinken, Dion?'

'Ja, lekker. Koffie graag.'

O, hoe moet dat?! Nou ja, ik heb het al vaak genoeg gezien, dus het lukt vast wel. Hoop ik. Ik sta te klooien met het waterreservoir, dat ik aanzag voor het bakje waar het koffiefilter in moet. En alsof dat nog niet alles is, gaat het hele ding niet aan.

'Moet ik even helpen?' vraagt Dion.

'Ja, graag,' zeg ik lachend. Ze schiet me te hulp en algauw staat de koffie te pruttelen en verspreidt die een heerlijke geur. Alleen de smaak is vies, dus is het logisch dat ik niet weet hoe een koffiezetapparaat werkt, aangezien je nooit koffiezet alleen maar omdat je van de geur houdt.

Na een paar minuten zitten we weer aan de eettafel en slurpt Dion letterlijk van haar koffie.

'Zo, hoe is dat dan?' vraagt ze. Ze kijkt me met haar blauw opgemaakte ogen aan.

'Wat?' vraag ik.

'Nou, te horen krijgen dat je Oostenrijkse wordt.'

'Zwaar balen,' zeg ik met een zucht. Ik steun met mijn hoofd in mijn ene hand. Met mijn andere houd ik het glas cola vast.

Ze knikt. 'Dat kan ik me wel voorstellen. Had je het wel verwacht?'

'Nou ja, mijn ouders willen al heel lang naar Oostenrijk. Maar ik had niet verwacht dat het er ook écht van zou komen.'

'Zou je liever hebben gehad dat je eerder, toen je zeg maar elf was, was geëmigreerd?'

Ik knik bedachtzaam. 'Ja, misschien wel.' Ik kijk in mijn glas cola, waar de bubbeltjes omhoogborrelen en uiteenspatten aan het oppervlak. Ik vraag me af waarom ik dat dan zo vind.

'Ik denk ook wel dat je nu al aan het kijken bent naar je toekomst. Naar een vervolgopleiding, naar hoe je leven er over vijf jaar uitziet. En in Oostenrijk moet je nog maar afwachten of je die-en-die studie gaat doen, en dat-en-dat werk.'

'Ja, dat denk ik ook wel.' Er volgt een korte stilte, waarin alleen het knappen van de bubbeltjes en het zachte slurpen van Dion te horen is.

'Kan je het al een beetje accepteren?' Nou hoor ik Benjamin achter in mijn hoofd galmen. Wat is dat toch met al die mensen en hun 'accepteren'?!

Ik lach zonder echte blijheid. 'Nou, het zal wel moeten, hè?'

'Hoezo?'

'Mijn pa wil niet dat ik al op mezelf ga wonen en hier in Nederland blijf. Ze vonden het ook al geen goed idee om nog even te wachten totdat ik achttien ben en dan te gaan. En ga zo maar door,' verzucht ik.

'Tja, vaders zijn lastig, hè. Ik weet nog wel dat ik vroeger zo graag een scooter wilde. Maar mijn vader vond dat onzin omdat fietsen je sterk maakt en omdat het heel wat minder geld kost. Plus dat het ontzettend milieuvervuilende dingen zijn.'

'Pff, ik wil echt niet...' Ik wrijf met mijn handen in mijn ogen en over mijn voorhoofd. Een gevoel van machteloosheid overspoelt me.

'Misschien wil je het onbewust wel.' Wát zegt ze nou?! Wil ik het onbewust wel...? 'Misschien dat je het nu alleen maar niet accepteert omdat je kwaad bent dat je ouders het niet met jou hebben overlegd.'

Een gevoel van tweestrijd overvalt me. Aan de ene kant zit er wel wat in. Maar aan de andere kant kan ik het me helemaal niet voorstellen dat ik het onbewust heus wel wil... Dat klinkt in mijn oren als de grootste bullshit die ik ooit heb gehoord. Ik haal mijn handen van mijn gezicht en laat mijn hoofd hangen. Opeens ben ik zó verschrikkelijk moe! Het liefst zou ik mijn hoofd op tafel willen leggen en zo in slaap vallen. En dan graag zonder dromen en nachtmerries over Oostenrijk.

Dion kijkt even naar het plafond, dan richt ze zich weer tot mij en zegt: 'Aan de ene kant wil je misschien wel, maar aan de andere kant ben je ook bang om een heel nieuw leven op te bouwen, want dat is het in feite wel.' Ik had nooit gedacht dat er zo'n diepgang in die vrouw zou zitten... 'Het is allemaal onbekend.'

'Nou ja, ik kom er al heel wat jaren.'

'Ja, dat is waar. Maar spreek je al Duits?'

'Nee, niet echt.'

'En weet je wat voor studies ze in Oostenrijk hebben?'

'Uh, ook niet echt...'

'Kijk, dat soort dingen bedoel ik.' Ik knik.

Na drie kwartier zo diepzinnig gepraat te hebben dat het me helemaal heeft gesloopt, stapt Dion op. 'Het was fijn even met je te babbelen, meid.' En weer krijg ik drie zoenen. De hele avond zal ik nog wel aan het gesprek herinnerd blijven door haar allesoverheersende parfum.

'Dank je wel,' zeg ik gesmoord in haar wang. Ik meen het echt. Ze heeft me wel wat nieuwe inzichten gegeven.

'Zit wel goed.' Dan stapt ze het huis uit en loopt klikklakkend het pad af. Ik kijk haar auto na en zwaai. Vervolgens doe ik de deur dicht met een grote zucht.

Ik zak op de bank neer waar ik zonder televisie, radio of iets anders aan blijf zitten. Haar woorden dollen nog door mijn hoofd. Wil ik het onbewust wél? Hoe zou het geweest zijn als mijn ouders de knoop hadden doorgehakt om te gaan emigreren toen ik een jaar of zeven was...? Zou ik me dan minder verzet hebben, juist omdat ik toen nog geen pubergevoelens had? Zou ik er toen überhaupt wel over na hebben gedacht of ik het zou willen of niet? Ik kom tot de conclusie dat ik het toen gewoon geaccepteerd zou hebben. Misschien was ik dan zelfs wel alleen maar heel blij geweest! Van: Jippie, we gaan naar Oostenrijk! Vakantie! Bergen! De hele zomer slapen in een tentje! En dan zou ik alleen maar denken aan: ik ga leren skiën en de rest van de tijd ga ik sleeën en sneeuwpoppen maken. En in de herfst ga ik kastanjes zoeken, en ze volop vinden. Want dan jatten de andere kinderen ze niet weg, omdat er in Oostenrijk zó veel bos is dat ieder kind een eigen stukje heeft. En in de lente zoeken we vogelnestjes, die je hier in Nederland maar weinig kunt vinden omdat er overal zo veel lawaai en verkeer is... Misschien zou ik het alleen rot gevonden hebben om mijn vriendinnetjes achter te laten. Maar dan zou mijn moeder zeggen: 'Je maakt wel weer nieuwe vriendinnen in Oostenrijk.' Ze zou me over mijn hoofd aaien, waardoor ik het gevoel kreeg dat alles goed zou komen. Daarna zou ik weer verder gaan met spelen.

Nu heb ik maar één gedachte over het emigreren: dat ik het absoluut niet wil. Ik ben er alleen maar op gebrand het te voorkomen. Opeens kom ik tot de conclusie dat Dion gelijk heeft: misschien is het inderdaad simpelweg door mijn kwaadheid dat ik zo doe. Een gevoel van rust overspoelt me. Dan sta ik op en ga naar bed. Ik staar nog een tijd in het donker, zonder iets te denken. Ik geniet van de stilte in mijn hoofd die ik al zo lang niet heb ervaren.

Ik heb vannacht heerlijk geslapen. Geen rare dromen of nachtmerries, die de laatste weken zo normaal zijn geworden. Ik ga op de rand van mijn bed zitten, en laat het gesprek met Dion nog even in mijn hoofd ronddwalen. Dan ga ik onder de douche en stap met natte haren de woonkamer in, wat normaal nooit mag van mijn vader in verband met de spetters die dan lelijk opdrogen op het laminaat.

Drie kwartier later zit ik op de fiets naar school. Juna fietst naast me en kletst honderduit. Dan stoot ze me aan, waardoor ik bijna in de sloot beland. 'Hé, luister je wel?'

'Ik?'

Ze grijnst met één mondhoek opgetrokken. 'Ja, hèhè. Wie anders? Ik heb het niet tegen de paus.'

Ik grinnik. 'Sorry.'

'Het is helemaal niet goed voor jou, zo lang al alleen. Kom bij mij logeren.'

'Nee, dank je.'

'Nee, dank je?' herhaalt Juna verbaasd. 'Ik wil je alleen maar behoeden voor een toekomstig kluizenaarsleven, hoor!'

'Juun, ik vind het hartstikke gezellig bij je, echt.' Ik leg even mijn hand op haar arm. 'Maar laat me nu effe met rust, oké?'

'Best.' De rest van de weg fietsen we in stilte. Op school kan ik mijn hoofd er ook niet echt bij houden. Ik discussieer met mezelf over de vraag hoe ik die 'puberwoede' kwijt kan raken. Hoe ik zou zijn zoals ik gisteravond had bedacht, als ik een jaar of zeven zou zijn. Ik kom er niet uit.

Na een week gaat opeens 's middags de telefoon. 'Hai schat, met je moeder,' klinkt het van ver weg door de telefoon.

'Hé, mam!' Ik ben toch wel blij om haar stem te horen. Het is best stil zo in huis. Ik ga op het telefoonkastje zitten, dat meteen kraakt onder mijn gewicht, en vraag: 'Hoe is het daar?' Als we gaan verhuizen, moeten we maar een ander kastje aanschaffen, want dit is uit het jaar nul.

'Ja, goed. Het schiet toch wel aardig op. We hebben het huis gezien.'

Mijn adem stokt even voordat ik vraag: 'En...?'

'Ja, helemaal geweldig. Het huis is anderhalve keer zo groot als het onze, en twee keer goedkoper!'

'Echt?'

'Ja, en dat is nog gunstig ook, want dan hebben we weer meer geld over voor de verhuizing.'

'Mooi.' Het voelt allemaal zo tegenstrijdig. Aan de ene kant ben ik nieuwsgierig, maar aan de andere kant wil ik er niks mee te maken hebben. Mijn gedachtes flitsen weer even terug naar het beeld van mezelf als zevenjarige die te horen krijgt dat ze gaat emigreren. Ik zie een springende ik voor me die meteen naar boven rent om een afstreepkalender te maken.

'En het huis heeft een heel erg mooie entree, en daar zat vroeger een cafeetje in...' zegt mijn moeder ondeugend.

Ik vraag niet-begrijpend: 'Wat is daarmee?'

'Je vader en ik hebben besloten om een pension met een klein cafeetje te beginnen. Eindelijk zijn we eruit wat me moeten gaan doen voor de kostwinning, want we zijn nog lang geen 65, gelukkig! Een pension voor wandelaars, wintersporters en zo.'

O, oké... Wat moet ik daarop antwoorden? Als ik zeg 'leuk', gaan ze meteen denken dat ik die hele emigratie leuk vind. Maar op zich is het ook best gaaf, een eigen café... Ik stotter een beetje in de telefoon, om toch nog te laten merken dat ik aanwezig ben.

'Wat vind je ervan?' vraagt mijn moeder hoopvol.

'Eh...'

'Als je zin zou hebben, kun je ons meehelpen.'

'Ja... dat kan...'

'Nou ja, kijk maar. Alles goed bij jou?'

'Ja, hoor.'

'Mooi. Nog even volhouden, we zijn over een halve week weer thuis.'

'Ja.'

'Dag, schat!'

'Doei, mam.'

# 4

Twee dagen later hoor ik 's middags de deurbel. Kort daarop gaat de voordeur open en staan mijn ouders in de gang. Een beetje gekleurd, maar dat is niet wat er anders is aan hun uiterlijk. Ze zien er ontspannen uit. Hun ogen stralen. Waarschijnlijk heeft het ze goedgedaan, zo'n tijdje zonder mij...

'Hoi! Hoe was het?' vraag ik.

'Het gaat gebeuren!' joelt mijn vader als hij me in het voorbijgaan naar de huiskamer even vastpakt. Mijn moeder geeft me een knuffel en vraagt eerst hoe mijn 'vakantie' was.

'Het huis staat er in ieder geval nog,' glimlacht mijn vader. Hij lacht zijn tanden bloot, en ploft op de bank. 'Hè, hè... Even bijkomen.' Hij zucht. 'Beviel het, zo moederziel alleen?'

'Heerlijk was het. Ik wou dat jullie nu alweer weg waren,' grijns ik.

Mijn moeder gaat achter hem staan en masseert even zijn nekspieren, waarbij hij zijn ogen gelukzalig glimlachend dichtdoet. Ik draai me om en maak alvast thee. Een nieuwe start, dus moet ik maar goed beginnen, denk ik.

Als ik weer de kamer in kom, is mijn moeder naast mijn pa gaan zitten. Hij haalt meteen de laptop uit zijn tas en mijn moeder klopt naast zich op de bank. 'Kom eens even kijken.'

Ik ben toch ook wel benieuwd wat ze allemaal hebben gedaan in de afgelopen twee weken.

Ik zak naast mijn vader neer. Hij klikt op een paar dingen

en opeens verschijnen daar allemaal foto's. Van een huis.

'Ons huis,' zegt hij met een grijns, terwijl hij mij aankijkt. Het is best een mooi huis, om eerlijk te zijn. En toch kan ik het niet laten om te zeggen: 'Dan was ik nog liever in de schuur blijven wonen.' Daar gaat de goede start...

Mijn vaders grijns verdwijnt en hij kijkt mijn moeder aan. Oké, nou stel ik hem teleur, dat weet ik donders goed.

'Hè, Lio... Moest dat nou?' vraagt mijn moeder.

Ik heb al meteen geen zin meer om de verhalen te horen. Ik sta op en loop de kamer uit. Sorry, pap. Maar waarom begrijpen ze nou niet hoe moeilijk het is voor mij?

Ik schrik van de deurbel. Het is Juna.

'Hé! Ik fietste net langs en zag dat je ouders er weer zijn.'

'Ja, helaas.'

Ze gniffelt. 'Mag ik binnenkomen?'

'Ja, tuurlijk.' Ik doe een stap opzij om haar door te laten.

Eenmaal in de kamer aangekomen begroet ze mijn ouders en gaat op de bank zitten.

'Wat wil je drinken?' vraag ik.

'Cola, alsjeblieft.'

Als ik met een glas in mijn handen weer terugkom, zit ze naast mijn vader de foto's te bekijken. 'Ah. Lioon! Wat gaaf, een pension!'

'Liona had geen zin meer om verder te kijken, geloof ik. Dus we zijn gestopt bij foto drie.'

'Lioon, kom nou gewoon effe kijken, joh! Dat is je huis!'

Zuchtend zak ik neer op de armleuning en kijk over Juna heen naar de foto's. Er zijn drie verdiepingen, de gasten zullen op de tweede verdieping slapen. Die is het grootst. Het is echt wel een mooi huis. Ja, als het in Nederland stond, zou ik er meteen in willen wonen. Maar in Oostenrijk? Maar Liona, spreekt een stemmetje me toe, waarom zou je dan wel in Nederland in zo'n huis willen wonen, maar niet in Oostenrijk? Het huis blijft toch hetzelfde? Ja, zegt een ander stemmetje, maar het gaat erom dat het in Oóstenrijk staat. Dat is het hele punt, hè. Ik word moe van mezelf en staak de discussie.

We bekijken alle foto's, en met elke foto die voorbijschiet, begin ik minder chagrijnig te worden. Ik probeer zo goed mogelijk niet weer die discussie met mezelf te beginnen. Want dat verzet gaat vanzelf. Als een soort trein die door mijn lichaam heen trekt en die ik zo moeilijk kan stoppen. Het kost heel wat moeite, hoor. Maar het is zo fijn om even verzetloos te zijn. Ik zou willen dat ik dit gevoel kon behouden... In mijn hoofd bedank ik Juna.

Als we de foto's na een kwartier allemaal gezien hebben, gaan Juna en ik naar boven.

Ze plofts op mijn bed en zegt: 'Het is echt gewoon te gek hoor, dat emigreren.'

Ik laat een minachtend 'nou...' horen. Begint zij nou ook al?

'Ik zou het echt gewoon geweldig vinden!' Ze straalt.

'Waarom dan?' vraag ik wanhopig.

'Nou, weg uit Nederland, zo'n mooi groot huis, een pension beginnen... Lekker in de natuur.' Ze stoot me aan. 'De hele dag stoere gasten ontvangen.'

Ik knipoog: 'Ik ben nog niet zo jongensgek als jij.'

'Ja, maar als er zo'n hunk van een kerel voorbijkomt met van die dikke gespierde kuiten en een gebruinde kop, dan ben jij ook verkocht. Dat weet ik zeker.'

47

Ik zie een enorme vent voor me met brede schouders en gei-tenwollen sokken, en met een wandelstok van een tak. Ik lach.

'Wat nou?' vraagt Juna.

'Ik zie het al voor me!'

'Zo'n hunk?'

'Ja!'

'Is ie leuk?' vraagt ze gretig.

'Voor jou, ja.' Nu zie ik Juna op haar tenen voor die gozer staan omdat ze anders niet bij hem kan. En dan staat hij met zijn zwa-re wandelschoenen met stalen neuzen op haar teen... Ik kom niet meer bij!

Die avond aan tafel begint mijn vader: 'Hé, Lio?'

'Ja?'

'Zou je het nou niet leuk vinden om wat te horen over onze "vakantie"?'

Ik zucht.

'Ik snap best dat het moeilijk voor je is, maar probeer het dan gewoon te bekijken als: O, leuk. Dan wordt het dat vanzelf ook echt.'

Ik knik: 'Ja, vast.'

'Nou, moet ik wat vertellen of heeft het geen zin?'

'Het heeft geen zin.'

Mijn vader zegt niks meer en eet met grote happen verder. Van onder mijn wimpers zie ik dat ik hem weer gekwetst heb, dus vraag ik maar: 'Hoe lang duurt het nog?'

'Wat?' vraagt mijn moeder.

Ik krijg het woord bijna niet over mijn lippen. 'De emigratie.'

'Ik denk nog iets minder dan een half jaar.'

Dan zegt mijn vader: 'Ja, dat denk ik ook.'

'Wát? Mínder dan een half jaar nog maar?!' Ik vergeet de hap naar mijn mond te brengen. Ze zijn dus toch niet zo sloom als ik had gedacht.

'Ja, zeker minder dan een half jaar.' Mijn moeder straalt.

Ik doe mijn best mijn schok in te slikken, maar ik kan echt niet tegen die grijns van haar. Dus snauw ik: 'Jij vindt het wel héél erg leuk hè, om mij een rotleven te bezorgen?'

Ze kijkt verbaasd. 'Hoe kom je daar nou weer bij?'

'Je zit altijd maar zo stom te lachen!' roep ik uit.

'Ik zit helemaal niet stom te lachen. Ik ben alleen maar erg blij.'

'Ja, zal vast wel. En daardoor zie je gewoon niet hoe ík heel dat gedoe vind!' Ik schep een enorme hap van mijn bord en douw hem wild in mijn mond. Normaal kauwen kan ik niet eens meer.

'Nou, laten we het eens gezellig houden,' zegt mijn vader sussend.

Ik slik de enorme hap maar in zijn geheel door en voel hoe hij naar beneden wordt gewerkt door mijn slokdarm. 'We kunnen het niet gezellig houden als álles, maar dan ook echt álles gaat over die stomme emigratie!' Mijn stem slaat over en ik schop tegen de tafelpoot.

'Liona, doe nou toch niet steeds zo kinderachtig. Zie het nou eens onder ogen!' roept mijn moeder.

Dan trek ik het niet meer. Ik laat mijn bestek kletterend op tafel vallen en schuif ruw mijn stoel naar achteren, die omvalt terwijl ik opsta. Ik ren de gang in en sla de voordeur met zo'n gigantische klap dicht dat de ramen ervan trillen.

Op straat sprint ik de wijk door. Geen idee waarheen. Ik steek blindelings een kruising over waar net een auto om de hoek komt. Een bestuurder roept: 'Kan je niet uitkijken, blinde kip?!' Ik ren door, zonder iets te antwoorden. Alle agressie trap ik eruit. Weg, wég. Alleen maar weg wil ik. Ik bijt mijn kaken op elkaar, zo hard dat mijn kaakspieren ervan trillen.

Pas na een hele tijd, geen idee hoe lang, stop ik met rennen. Ik knijp in mijn zij, waar venijnige steken doorheen schieten. Mijn hart roffelt tegen mijn borstkas, mijn keel is droog van het hijgen. Ik kijk om me heen. In ieder geval ben ik voorbij het centrum gerend, ver weg van huis. Huis, gatver. Dan ren ik verder. Verder weg van huis. Verder weg van alles.

Weer een tijd later kom ik bij landerijen uit. De koeien loeien zoals gewoonlijk, alsof er niks is gebeurd. Stomme koeien, natuurlijk is er van alles gebeurd! Ik loop met grote passen verder, de woede is nog steeds niet uit mijn lijf.

De zon is al een heel stuk gezakt. Ik adem de frisse buitenlucht diep in en denk aan thuis, maar stop daar onmiddellijk weer mee. Kijkend naar de rode avondlucht adem ik diep in en uit. Ik voel me helemaal leeglopen, letterlijk en figuurlijk. Wat ben ik ook voor dochter... Ik weet dat ik het ze niet makkelijk maak. Maar zij maken het mij ook niet makkelijk. Ik wil dat we weer zonder boosheid met elkaar kunnen praten, zoals vroeger. Maar elke keer komt de woede weer vanzelf in me op, ik kan er niks aan doen. Ik leun met mijn handen op het hek dat de weg van het weiland scheidt. Dan barst ik in huilen uit, met gierende uithalen. Mijn vingers kleuren wit, zo hard knijp ik in het hek. Ik zink neer in de berm.

Het is nu helemaal donker geworden. Ik leg mijn hoofd in mijn handen, mijn knieën dicht tegen mijn borstkas opgetrokken. Ik voel alleen het zware gevoel dat diep vanbinnen zit. En weer barst ik in snikken uit. Als ik na een paar minuten weer wat ben gekalmeerd, sta ik op en loop verder. Weg.

Al twee uur ben ik onderweg sinds ik weer de moed heb opgevat om verder te lopen. Het is inmiddels drie uur 's nachts. De koeien hoor ik niet meer, ik zie ze ook niet meer. Het is ook zo donker hier. De maan is maar een klein sikkeltje en de sterren fonkelen in de donkere lucht. De tranen blijven maar over mijn wangen stromen. Om met kracht te janken, daar ben ik zelfs te moe voor, ook al zou ik het wel willen.

In de verte hoor ik een auto aankomen. Zijn koplampen verlichten steeds meer mijn weg. Steeds feller. Ik stap opzij de berm in en wacht totdat de auto passeert. Maar dat doet hij niet. Sterker nog: hij remt af, totdat hij vlak voor me tot stilstand komt. Het is een politieauto. Mijn hart klopt fel en mijn tranen stromen niet meer. Wat moeten ze van me? Er stappen twee agenten uit. De een heeft een zaklamp bij zich en schijnt ermee op een papier.

'Goedenacht. We zoeken ene Liona.'

Ik druk mijn kaken op elkaar, draai me ruw om en begin weer te rennen. Ik wil niet mee! Ik wil niet terug naar huis! Stomme pa en ma, zij hebben die politieauto gestuurd! Ik sprint de weg over. De ene agent rent me achterna, de andere start de motor en rijdt me achterna. Mijn benen zijn zwaar en moe van al het lopen. Nog voordat de auto me in heeft gehaald, struikel ik. Met schrijnende knieën lig ik op de straat. Languit. Ik schreeuw het uit, klauw met mijn vingers in het asfalt, die ervan openschaven. Eindelijk kan ik weer met kracht janken. Wat een opluchting. De agent die me achterna is gerend, hijst me licht hijgend aan mijn armen van de grond. De andere agent stapt weer uit de auto.

'Gaat het?' vraagt hij.

Ik breng een langgerekt 'nee' uit. De agent die me vast heeft, loodst me naar de auto en duwt me met lichte dwang neer op de zachte achterbank. Dan knielt hij naast me neer.

'Liona, dit is niet de manier. Je ouders zijn verschrikkelijk ongerust.'

Ik kan alleen maar huilen.

De agent legt zijn hand op mijn knie, maar trekt hem meteen weer terug als hij bloed voelt. 'Dit moet eerst verzorgd worden. Pak jij even de EHBO-doos, Ben?'

Even later hurkt de andere agent ook voor me neer en hij bekijkt met de zaklamp mijn knieën. 'Meisje, meisje,' zegt hij alleen maar.

Langzaamaan word ik wat rustiger. Wat bezielt me toch? Waarom doe ik zo?

'Sorry,' snik ik.

'Tegen ons hoef je je niet te verontschuldigen. Ik zou het eerder doen tegen je ouders.'

De agent verbindt mijn bloedende knieën.

'Zullen we maar naar je ouders gaan?' vraagt hij als hij klaar is.

Ik glimlach door mijn tranen heen: 'Het moet maar hè?'

'O gelukkig, ze lacht weer!' grinnikt de politieagent die Ben heet. Hij pakt mijn benen op en duwt ze naar binnen. Dan gaat hij op de bestuurdersstoel zitten en stapt de andere agent ook in. Wie had dat ooit kunnen bedenken: Liona die is afgevoerd met een politiewagen... Ik zucht diep en laat me het hele eind weer terugrijden.

'Wagen 32 voor de centrale. We hebben het vermiste meisje net gevonden en rijden naar het bureau. Nemen jullie even contact op met de ouders?' zegt de bestuurder in een microfoon op het dashboard.

'Begrepen, wagen 32.'

'We brengen je naar het politiebureau, waar ze je ouders bellen. Oké?' De bestuurder kijkt via zijn spiegel naar me. Ik knik. Zwijgend rijden we naar het centrum, waar ze stoppen voor het bureau. Ik ben er zo vaak langsgelopen of -gereden, maar nooit had ik gedacht dat ik het gebouw nog eens vanbinnen zou zien. De agent helpt me om uit de auto te stappen en ondersteunt me op de weg door het politiebureau. Mijn knieën branden en kloppen. Er loopt een straaltje bloed onder het verband vandaan. Ik heb het goed gedaan, zeg.

'Het vermiste meisje is terecht,' zegt Ben tegen de baliemedewerkster. 'Wil je even naar haar knieën kijken?'

'Tuurlijk,' zegt de jonge vrouw. Ze loopt achter ons aan naar een smal gangetje met deuren. De agent die me ondersteunt, loodst me een kamertje in, knipt het licht aan en duwt me zachtjes neer op een stoel voor een groot bureau.

De baliemedewerkster hurkt voor me neer. 'Zo, wat heb jij gedaan?' vraagt ze verbaasd met een blik op mijn doorgelekte verband.

Ik haal mijn schouders op en grijns: 'Nou ja, gevallen.'

Ze schudt haar hoofd en zegt zacht: 'Meisje toch.'

'Heb je haar ouders gebeld, Marja?' vraagt Ben.

'Ja, ze komen eraan,' antwoordt ze. Ze kijkt me even aan. Dan grinnikt ze: 'Moeten we je alvast wat valium geven?' Geen antwoord verwachtend staat ze op om een verbanddoos te pakken.

'Wil je thee, of water, of niks?' vraagt de ene agent aan me.

'Een beetje thee alstublieft,' zeg ik schor. Hij loopt weg en laat me alleen achter. Ik leg mijn hoofd tegen de muur achter me en sluit mijn ogen. Waar ben ik in hemelsnaam mee bezig geweest? Ik heb spijt, écht spijt. Dit is helemaal niet de manier. Ik kan er helemaal niks aan veranderen. Ze willen allebei zó graag, waarom moet ik hun pret dan zo nodig bederven met al mijn gezeik? En Oostenrijk is mooi, ik wilde er vroeger zelfs nooit weg na een vakantie. Er schuift weer een springende Liona met afstreepkalender door mijn hoofd. Het kan heus wel wat worden, maar dan moet ik wél ophouden met dit stomme gedoe. Ik slik mijn taaie speeksel in en zucht. Ik kan het. Ik accepteer het, zeg ik tegen mezelf. Het komt goed.

Dan komt Marja, de baliemedewerkster, terug met een witte doos en wat tissues. Ze dept het bloed van mijn knie op met een tissue. Dan doet ze wat jodium op een watje en dept mijn knie schoon. Ik druk mijn kiezen op elkaar, omdat het zo prikt. Vervolgens legt ze een schoon verband aan, om beide zielenpootjes.

'Bedankt.'

'Graag gedaan, hoor. En in het vervolg niet meer zo hard vallen, hè,' zegt ze met een knipoog. Ik glimlach.

Dan komt de agent binnen met thee. Hij vraagt: 'Gaat het weer een beetje?'

Ik knik. 'Ja hoor. Bedankt.' Ik nip van mijn thee en word weer een beetje warm en rustig vanbinnen. Opeens hoor ik allemaal stemmen bij de balie. Daar zijn ze. Ik zet alvast mijn thee op het bureau en wacht af. Dan verschijnt eerst mijn moeder in het kamertje, gevolgd door mijn vader.

Mijn moeder valt me om de hals. 'Ach, kindje...' Ze wrijft over mijn hoofd.

Ja hoor, ik zit alweer te janken. 'Sorry, mam. Sorry, echt. Ik wil zo niet zijn, echt niet. Maar het gaat vanzelf,' zeg ik snikkend.

Ook mijn moeder snikt. 'Maar meisje, dat weten we ook. Het is niet makkelijk, dat wéten we, heus.'

Dan komt mijn vader er ook bij. Hij knijpt in mijn schouder. Ik kijk door het haar van mijn moeder naar hem op. 'Sorry pap, echt.'

Hij bromt: 'O, je bedoelt het zo allemaal niet, dat weet ik ook wel.'

'Ik moet ook sorry zeggen,' fluistert mijn moeder in mijn haar. 'Misschien is het ook wel heel egoïstisch van ons...'

'Nee, het is jullie wens, dat weet ik. Jullie hebben al zo veel voor mij gedaan, nu moet ik eens een keer iets voor jullie doen.' Ik wrijf mijn moeder over haar rug. Ik heb zo'n spijt... Dan laat mijn moeder me los en omhelst mijn vader me nog even stevig. Dat is lang geleden...

Als hij me ook heeft losgelaten, bestudeert mijn moeder mijn knieën. 'Meisje, meisje...'

Ben staat met zijn handen in zijn zakken schuin naast ons.

'Waar hebben jullie haar gevonden?' vraagt mijn vader.

'Een heel stuk verderop in de weilanden. Ze zette het op een rennen en toen struikelde ze. Vandaar het verband.'

Mijn vader knikt. 'Bedankt voor het terughalen van mijn dochter.'

'Zit wel goed hoor, meneer. Volgens mij is ze weer een heel stuk rustiger geworden.' Hij kijkt me met een grote grijns aan. Ik kijk verlegen naar de grond.

Mijn moeder knuffelt me nog een keer. 'Wat fijn, meisje.'
'Wat?'
'Nou, gewoon.'
Even later val ik in de auto in slaap.

# 5

Als ik een halve week later uit school kom, zit er in de woonkamer een vreemde man aan tafel. Hij heeft zwart haar dat naar één kant is gekamd, een brilletje en een net pak aan. Nog net geen vlinderdasje. Ik sta aarzelend in de deuropening. Wie is hij? Waarom kijkt iedereen me zo aan?

Mijn moeder staat op en loopt naar me toe. Ze kust me op mijn voorhoofd en zegt: 'Dit is meneer Wateringen. Hij helpt ons bij de emigratie.'

'O, oké. Hallo meneer.' Langzaam steek ik mijn hand op ter begroeting en loop dan meteen naar boven. In mijn eigen veilige kamer, waar geen mannen met brilletjes komen, ga ik op mijn bed zitten. Ik voel me net een zombie. Ik staar voor me uit met een slap lichaam. Steeds schiet er één zinnetje door mijn hoofd: er valt niks aan te veranderen.

Na anderhalf uur hoor ik de meneer eindelijk afscheid nemen van mijn ouders. De deur gaat open en weer dicht, en mijn vader roept naar boven: 'Lio? De kust is weer veilig!'

Ik raap mijn moed bij elkaar en sjok naar beneden. Nog steeds voel ik me net een zombie. Ik vraag mat: 'Wie was die man?'

'Meneer Wateringen had toen ik vanmorgen belde tijd om vanmiddag al te komen. Dat was erg aardig van hem. Wij wisten ook niet dat het al zo snel kon,' legt mijn moeder uit.

Ik zeg maar: 'O.' Het is toch nog wel erg moeilijk om alles maar te accepteren, zoals ik in het politiebureau had besloten. Weer schiet het besef dat ik er níks meer aan kan veranderen door mijn lichaam. Ik bijt mijn nagels er zowat af. 'Wat kwam hij doen?'

'Hij helpt ons vooral met de financiën,' zegt mijn vader.

Daar heb ik toch geen verstand van. 'Oké. Lukt het?' Tjee wat kost het me moeite om dat te vragen...

'Ja hoor. Het is een heel aardige meneer.' Ja, dat kan best. Alsof het alleen maar door die aardige meneer gaat lukken.

Ik draai me om en ben al bijna de kamer uit als mijn vader me terugroept.

'We hebben het huis gekocht.'

Ik bijt mijn lip stuk en knijp mijn afgebeten nagelstompjes in mijn handpalmen. Opeens tril ik onophoudelijk. Ik ren de trap op. In mijn kamer graai ik mijn oude knuffelpaard tevoorschijn en druk hem zó stevig tegen me aan dat het beest zo plat als een dubbeltje wordt. Ik druk mijn gezicht in de muffe stof. Het trillen stopt wat, maar mijn adem gaat met schokken. Ik probeer me op mijn ademhaling te concentreren, om maar niet aan het andere te hoeven denken. Ik ben al lang niet zó bang geweest... Zou het angst voor de toekomst zijn? Voor wat er komen gaat? Voor het totaal onbekende...?

Drieënhalve week na de bominslag 'we hebben het huis gekocht', zit er weer een nette meneer aan de eettafel. Deze keer is het een makelaar. Het bord 'te koop' staat al tegen de muur in de hal, klaar om in de grond geslagen te worden. Ik vlucht weer naar boven.

Op mijn kamer kijk ik rond. Hoe lang zou dit kamertje nog van mij zijn? Wie zou hier over een tijdje zitten? Ik laat verdrietig en bang mijn hoofd hangen en dan komen de tranen.

Na een paar minuten klopt mijn moeder op de deur. Ze steekt haar hoofd door de opening en vraagt zacht: 'Mag ik even binnenkomen?'

Ik veeg ruw mijn tranen weg. 'Ja,' zeg ik schor.

Ze komt naast me op bed zitten en slaat een arm om me heen. 'Het is ook allemaal niet makkelijk, hè?'

Ik schud wild mijn hoofd.

'Laat die tranen maar komen, joh. Het is goed.'

'Ik ben zo bang, mama...'

Ze is even stil, en vraagt dan zacht: 'Waar ben je dan bang voor?'

'Voor alles! Ik ben zo bang om alles achter te laten, om helemaal opnieuw te moeten beginnen. Het is allemaal zo onbekend.' Ik til mijn hand op in een wanhopig gebaar, en laat hem dan weer in mijn schoot vallen. Mijn moeder wiegt me zachtjes heen en weer. Ze wrijft heel rustig over mijn haar, zoals ze vroeger deed. Ik zie een klein meisje voor me, dicht tegen haar moeder aangedrukt.

Ik laat mijn tranen stromen. Ze maken beekjes op mijn wangen. Als het ergste eruit is, snik ik: 'Het is ook zo moeilijk om het allemaal te accepteren, zoals iedereen maar zo makkelijk zegt.'

'Dat snap ik heel goed, meisje,' zegt mijn moeder zacht. 'Maar in Oostenrijk kan je heel goed leven. Daar zijn ook vijftienjarigen. Daar kun je ook heel goed een nieuw leven opbouwen.'

'Nee, daar zijn alleen maar stomme boerinnetjes,' zeg ik met een opgetrokken mondhoek.

'Dat is een vooroordeel.' Ze stopt met aaien over mijn hoofd. Dan pakt ze mijn schouders vast en houdt me van zich af terwijl ze me aankijkt. Ik sla mijn ogen neer naar mijn dekbed met de piepkleine blauwe bloemetjes. Mijn moeder volgt mijn blik. Schokkerig haal ik adem. In de stilte hoor ik het tikken van de klok. Iedere seconde die voorbijgaat, bespoedigt ons vertrek. Weer word ik overspoeld door een tsunami van angst.

'Het wordt echt geweldig, Liona. Ik beloof het je, met mijn hand op mijn hart.' Mijn moeder kijkt me aan met haar hand op de plek waar haar hart zit. Ik zie haar ogen stralen. Heel haar gezicht lacht mee. De sproeten op haar neus, die ik geërfd heb, rekken een beetje uit. Heel langzaam, maar overduidelijk voel ik de angst wegstromen uit mijn lichaam. En voor het eerst voel ik het enthousiasme dat ik op het gezicht van mijn moeder zie ook een beetje in mijn buik. Of zijn het meer de kriebels? Dit is de eerste keer na mijn bezoekje aan het politiebureau dat ik het kan accepteren. Het écht kan accepteren, met heel mijn hart.

En dan knik ik, met mijn ogen nog steeds op het dekbed gericht. Ik meen het. Mijn moeder verdwijnt weer naar beneden, om te praten over de verkoop van ons huis.

De makelaar is net weg, als ik beneden de harde stem van mijn vader hoor. En als hij even stil is, hoor ik de stem van mijn moeder. Hebben ze nou ruzie? Ik leg mijn oor op de vloer om te horen waarover de ruzie gaat.

'Onzin! Je laat mij zo'n belangrijke beslissing toch niet in mijn eentje nemen?' roept mijn vader.

'Liona is belangrijker.'

'Liona belangrijker? Hier hangt wel onze emigratie van af, hoor!'

'Ja, maar met onze dochter moeten we nog heel wat jaar leven. Nog altijd gaat Liona voor.'

O ja, en hoe zit dat dan met jóúw wens om te emigreren? denk ik. Als ik zo belangrijk ben, waarom blijven we dan niet nog twee jaar hier?

Mijn vader zegt iets wat ik niet kan verstaan.

'Ja, hoor eens! Je moet je nu niet afreageren op mij. Liona is gewoon een dwarse puber en deze ingrijpende beslissing maakt het er niet beter op. Daarnaast heeft ze er ook erg veel moeite mee, dat zag ik net voor het eerst heel duidelijk. Jij zal toch ook wat meer begrip moeten opbrengen voor je dochter!'

Ik haal mijn oor van de vloer, want ik kan het niet meer aanhoren dat ze ruzie maken om míj. Straks komt het door mij dat ze uit elkaar gaan... Ik slik mijn schrik in. Onzin. Natuurlijk gaan ze niet uit elkaar om één zo'n ruzie! Maar als ze tóch uit elkaar zouden gaan vanwege mij, zou ik het mezelf nooit vergeven. Hoewel, als dat de emigratie tegen kan houden... Nee, Liona. Denk aan je besluit op het politiebureau...

# 6

Het is inmiddels mei. Een heerlijk zonnetje schijnt. Normaal gesproken zou ik genieten van de lente, van de zon. Maar nu zit er maar één ding in mijn hoofd... Ik fiets tergend langzaam naar huis. Er komt een tegenligger aan, en een fietser achter me scheldt me uit om mijn ouwelullentempo. Maar het kan me even niks schelen, als ik maar laat thuiskom.

Toch zie ik na zeven minuten ons huis liggen. Dat moment had ik best nog wel even willen uitstellen. Angstig schieten mijn ogen naar het bord in de tuin waar gisteren nog 'te koop' op stond. De schrik slaat me om het hart. Ik vergeet te trappen en ik stuur onbewust de linkerkant op, waardoor er een fietser tegen me aan knalt die luid scheldend wegrijdt terwijl hij me nog nakijkt over zijn schouder. Dat waar ik zo bang voor was, is gebeurd: op het bord staat nu 'verkocht'.

Ik stap af en sta een paar minuten lang vlak voor het bord. Ik kan mijn ogen er niet van afhouden. Mijn adem zit hoog en mijn hart gaat snel. Dan veeg ik mijn zweethandjes af aan mijn broek en laat mijn fiets tegen de schuur aan vallen. Naast mijn fiets plof ik in het gras in de zon. De zon voel ik nauwelijks, zó ben ik bezig met dat ene zinnetje in mijn hoofd: 'ons huis is verkocht'. Het is alsof ik gevangenzit in een trein die langzaam optrekt, er is geen weg terug meer. Het ding rijdt steeds sneller, niks kan hem stoppen. Opeens komt het idee in me op om dat verdomde bord uit de grond te trekken en te verstoppen onder de heg, in de hoop dat het allemaal vergeten wordt.

Ik schrik op als mijn vader plotseling naast me komt zitten.

'Lekker zonnetje, hè?'

'Ja,' zeg ik zo enthousiast mogelijk. Het lukt niet.

Mijn vader kijkt me lang aan en zegt dan: 'Je bent bang, hè?'

Ik knik met neergeslagen ogen.

We zijn even stil, maar ik weet wat er na deze stilte gaat komen. 'Het huis is verkocht.' Ja, ik weet het al, pap. Ik moet moeite doen om te blijven zitten. Dan vraag ik met een dunne stem: 'Zijn het aardige mensen?'

'Ja, ze zijn heel aardig. Nog jong.' Ik knik. Alsof jong zijn samenhangt met aardig zijn.

'Ze hebben beloofd om goed met je kamer om te gaan.'

'Dat is fijn.' Ik zwijg even, voordat ik met een brok in mijn keel vraag: 'Hoe lang nog, pap?'

'Drie maanden. Hooguit.'

Ik slik, knik en sta dan toch op.


Die avond zitten we op de bank te lezen. Ik zit net in een spannend stuk als mijn vader mijn aandacht afleidt door zijn keel te schrapen. Verstoord kijk ik op. Mijn vader en moeder wisselen een veelbetekenende blik met elkaar. Dan begint mijn vader te praten: 'We gaan een feest organiseren. Een afscheidsfeest.'

Ik leg mijn vinger op de regel waar ik gebleven was en zeg zacht: 'Dan moet het wel een knalfeest worden.' Mijn bange gevoel druk ik weg. Er komt een sprankje blijheid doorheen. Ik zie een hossende massa vrienden voor me, die me dragen op hun handen. Het is gewoon gezellig. Niks geen afscheidsverdriet of wat dan ook. Gewoon een leuk feest.

'Tuurlijk,' antwoordt mijn moeder. 'We huren dat zaakje af van dat café in het centrum.'

M'n pa vult aan: 'Dat moderne geval, waar jij zo gek op bent.' Ik ben ook maar één keer in dat zaakje geweest, maar goed. Het is er wel leuk, voor zover je dat kan beoordelen na één keer.

Door de donkere wolken die al een hele tijd mijn gedachten beheersen breekt een sprankje zon door, een sprankje blijheid. Wat voelt dat goed! Ik sla mijn armen er stevig omheen, van plan het nooit meer los te laten in ruil voor weer die angst of dat verzet. 'Mag ik een hoop mensen uitnodigen?'

'Wat is een hoop?' vraagt mijn moeder.

'Een stuk of twintig.'

'Dan mag jij voor jezelf wel een feestje houden. Dat is misschien ook wel leuker voor je.'

Mijn vader zegt: 'Ja, want wat hebben jouw vrienden nou te maken met onze familie?'

'Mag ik een feest in de tuin geven?' vraag ik blij. Ik verwacht dat het niet zal mogen, want ik wil al zo lang een tuinfeest geven...

Mijn ouders kijken elkaar aan. Tot mijn grote verbazing knikt mijn vader. Dan zegt mijn moeder: 'Oké. Maar dan moet je het wel zelf allemaal regelen.'

Ik glimlach. 'Bedankt!'


Twee maanden later kan ik al een afstreepkalender maken – niet dat ik het doe. De data van het afscheidsfeest van mijn ouders en mijn tuinfeest zijn al gepland. De papieren zijn in orde, het nummerbord van de auto is besteld, het huis is verkocht.

Ik zit met Juna op het muurtje voor de school. We zwijgen. Het komt nu zó dichtbij dat we allebei niet meer zo goed weten wat we moeten zeggen, want we zijn al heel wat keer in herhaling gevallen met: 'Ik zal je missen', en: 'We houden contact', en: 'Ik kom je vaak opzoeken'.

Juna klapt haar boek van Engels dicht, als ze vraagt: 'Wat is typisch Oostenrijks eten?'

Ik denk even na en herinner me dan: 'Kaiserschmarrn.' Dat at ik voor het eerst in een restaurant in Oostenrijk, toen mijn moeder een keer geen zin had om te koken. Nou ja, het was meer dat mijn moeder geen zin had om iets ánders te koken, nadat ze de beestjes had ontdekt in de spaghetti.

'Wat is dat?'

'Een soort roergebakken pannenkoek.'

'Zullen we dat vanmiddag gaan maken?'

'Ja, is goed. Bij mij?' Ik wil zo veel en zo lang mogelijk nog thuis zijn, ook al heerst er een verhuisstemming.

'Prima!'

Die middag printen we eerst het recept (in het Duits, goed voor mijn taalontwikkeling), en als we de ingrediënten hebben gehaald bij het supermarktje gaan we aan de slag. Pannenkoeken om half drie...

'Ik ga op taalcursus,' vertel ik aan Juna.

Ze kijkt me aan en proest het uit. 'Met allemaal van die oudjes die niet meer dan "hallo" kunnen zeggen in het Duits!'

'Welnee, joh. Althans, dat hóóp ik...'

'Hoe lang duurt het?'

'Twee weken.'

'Zo kort?!'

'Ja, maar dan moet ik wel iedere dag twee uur naar zo'n school,' zeg ik met een zucht. School is toch al nooit mijn hobby geweest...

'Ach, joh. Dan maak je eerder vrienden, als je ze verstaat.'

'Dat is waar.'

Juna plaagt: 'Ja, want anders voel je je zo eenzaam. Kun je niet eens een bordje kaiserschmarrn bestellen.'

'Ja, dat zou verschrikkelijk zijn!' We lachen.

De Oostenrijkse pannenkoek is klaar, en we storten hem op twee bordjes.

'Het is eigenlijk best lekker,' zegt Juna met volle mond.

'Ja, hè?'

'Ik kom graag een keer bij jullie eten hoor, in Oostenrijk!'

Ik grinnik: 'Ja, dan kom je alle baksels proeven van mijn moeder! Hopelijk verbetert ze haar kookkunsten nog wat, zodat niet alle gasten gillend wegrennen.'

'Nee, dat zou wat zijn! Kan je niet eens aan een hunk komen. En anders kom ik wel helpen,' zegt Juna met een grijns.

'Ja, daar hebben we wat aan.'

'Nou ja, zeg!' roept Juna verontwaardigd uit.

We eten de hele week al allemaal vreemde en uitgebreide gerechten. Mijn moeder moet namelijk oefenen voor het menu in het pension. Als een recept mislukt is (en dat gebeurt nog wel eens), wordt het geschrapt van de menukaart die mijn ouders alvast hebben opgesteld.

Ik trek mijn jas aan. Vandaag de eerste les Duits. Ja, van de cursus. Tegen de wind in trap ik naar het gebouw waar ik zijn moet. Bij de receptie sturen ze me naar de tweede verdieping, waar de deur van het lokaal al openstaat. Meteen krijg ik een soort cultuurshock, want ik zie alleen maar volwassenen. Ja, het was te verwachten. Wie volgt er nou een cursus Duits als-ie op school al drie keer in de week Duits heeft?

'Guten Abend,' groet de lerares me meteen. Ze lijkt me nogal streng, met haar hoornen bril en haar stugge zwarte haar dat met een lading gel in model is gebracht.

'Eh, hallo,' groet ik terug.

Ze vraagt op scherpe toon: 'Und wer bist du?' Mag ik niet eerst even bijkomen van mijn shock...?

'Liona.'

'Gut.' Ze streept mijn naam af op een lijst. Dan keert ze zich godzijdank om en loopt terug naar haar bureau. Alle andere cursisten kijken naar me. Ik zink neer op een stoel aan een tafel.

Als iedereen er is, begint de lerares meteen. 'Guten Abend.'

'Guten Abend,' klinkt het uit zestien monden. Zo, die hebben er zin in! Ik glimlach in mezelf. Het lijkt net zo'n puppycursus, waarin alle pups hun pootje optillen omdat ze zo gehoorzaam zijn. In onze klas reageert niemand op een begroeting van de lerares Duits.

'We zijn hier bijeen om Duits te leren. Om vloeiender de taal te beheersen, en voor een uitgebreidere woordenschat. Zo kunt u de taal met meer vertrouwen gebruiken op de werkvloer.' Ze kijkt me doordringend aan, met haar duim en wijsvinger nog op elkaar die ze net met elk woord op en neer heeft bewogen om dat wat ze zegt meer kracht te geven. Het liefst wil ik weer rechtsomkeert maken. Ik voel me nogal ongemakkelijk tussen al die volwassenen en onder die priemende blik van de lerares.

Dan constateert ze: 'Voor jou geldt dat dan niet.'

'Nee, we gaan emigreren. Vandaar,' zeg ik zo nonchalant mogelijk, om maar meteen voor de rest van de cursus van het gezeur af te zijn. Ze knikt kort en deelt dan boeken uit, terwijl de andere 'leerlingen' me nog even blijven aanstaren.

De rest van de tijd zit ik de cursisten te vergelijken met dieren, omdat de cursus zo saai en belachelijk is. De meneer schuin tegenover me lijkt op een goudvis. Precies zo'n happend mondje. Ik sla mijn hand voor mijn mond om de lach te smoren. Dan is de deftige dame naast de man aan de beurt. Na even nadenken zie ik een mopshondje voor me. Ik doe net of ik een pen uit mijn tas pak, omdat ze me vast heel raar aankijken als ik als enige zit te grijnzen... Als ik met een rood hoofd weer boven ben, kijken ze tóch. Ik besluit om mijn spelletje maar te stoppen.

Met een zucht stort ik me weer op de woordjes, die allemaal even achterlijk zijn. Zoals de vertaling van 'kind' en 'volwassene'. Hallo, dat weet ik allang! En die woordjes moeten we dan ook nog nazeggen. Echt komisch, hoe al die volwassenen braaf allemaal tegelijk drie keer 'Erwachsene' herhalen. Maar goed, het geeft ze zo te zien wel een hoop voldoening... Ik word er alleen maar giebelig van. Juna zou erbij moeten zijn! Of wacht, als ik het nou met mijn mobiel film? Ik zie het al voor me: mijn hele klas van school rondom mijn mobiel met filmpje. Ze zouden niet meer bijkomen! Ik pers mijn lippen op elkaar om niet te hoeven lachen.

Gelukkig sta ik na twee uur weer buiten. Ik zit nog maar net op mijn fiets, als een rukwind me tegen de stoep aan blaast, zodat ik omval. Eén ding is leuk aan in Oostenrijk gaan wonen: er staat geen wind en ik mag met de bus naar school. Heeft mijn gevloek op die wind misschien toch nog effect gehad!

# 7

Ik sta in mijn kamer. Nog maar twee weken, dan zitten we 1200 kilometer verderop. Dan zijn we verhuisd. Oftewel: dan is het definitief. Ik bijt op mijn lip en staar naar de eerste gevulde doos met een paar van mijn spulletjes in de hoek van mijn kamer, achter een kast zodat de doos niet al te erg opvalt. Over een week is mijn tuinfeest al! En over anderhalve week is ons afscheidsfeest. De volgende dag is het dan zover...

Ik zink neer op mijn bed, dat niet meeverhuisd wordt, maar al op zo'n online-verkoopsite staat. Want het schijnt dat mijn ouders al een bed voor me uit hebben gezocht toen ze in Oostenrijk waren om al die dingen te regelen. Zeker zo'n houten kist met uitgesneden bloemetjes. Het is daar namelijk een rage om alle meubels te bewerken met van dat houtsnijgereedschap.

Het huis dat mijn ouders hebben gekocht, stond al leeg. Vandaar dat ze het al vol konden stouwen met meubels, zodat er niet zo veel van onze eigen spullen verhuisd hoeft te worden. Verhuizen is duur, zegt mijn pa.

Dan komt mijn moeder naar boven, met de vraag of ik even mee wil komen naar de woonkamer, waar het trouwens al helemaal erg is met alle ingepakte spullen. Je weet wel, dingen die we niet meer zullen gebruiken in de komende weken, die al ingepakt zijn. Ook al staan de dozen er al een tijdje, het blijft iedere keer weer slikken. Elke doos drukt me weer met mijn neus op de feiten. Ik volg mijn moeder, die in zo'n boerinnenvest loopt dat ze ooit in Oostenrijk heeft gekocht. Zeker om alvast te wennen aan al die andere kleren die ze daar dragen...

Ik ga naast mijn vader op de bank zitten en kijk mijn moeder vragend aan als ze in de fauteuil tegenover ons gaat zitten. Mijn vader heeft een schuin glimlachje dat ik niet helemaal vertrouw. Er gaat iets gebeuren, ik voel het.

'Aangezien jij het helemaal niet eens bent of was met onze beslissing, dachten we dat het misschien wel leuk voor je zou zijn als jij ten minste ook iets leuks kreeg. Omdat het ook niet makkelijk voor je is geweest. En zodat je alvast één vriend hebt in Oostenrijk,' vertelt mijn moeder. Zij glimlacht ook al zo geheimzinnig.

Mijn vader overhandigt me een foto. Mijn mond zakt open en mijn ogen worden groot. Ik weet gewoon niet wat ik moet zeggen. Tranen van blijdschap rollen zomaar uit mijn ogen. Gek, ik huil eigenlijk nooit van blijdschap. Zeker alle spanning van de afgelopen tijd... Ik val al huilend om mijn vaders nek, simpelweg omdat hij het dichtstbij zit.

'Een husky! Net wat ik wilde!' letter ik snikkend in zijn oor.

Mijn moeder is naar ons toe gelopen en slaat haar armen om ons heen. 'Het is je gegund hoor, meisje.'

Ik kan niks uitbrengen, schud alleen maar ontsteld mijn hoofd. Als mijn moeder even later de doos tissues onder mijn neus heeft geduwd zegt ze: 'Het is een asielhond.' Dat dacht ik al! Er staat namelijk geen pup op de foto. En ik ben het er trouwens helemaal mee eens. Waarom zou je een pup aan gaan schaffen als er nog heel veel huisdieren in een asiel wonen, zonder baas, zonder de liefde die ze zouden kunnen krijgen van een echt baasje. 'Het is een zij, en ze heet Nanouk.'

'Wat een mooie naam,' kan ik nog net uitbrengen, voordat er weer een salvo van tranen komt.

'Ze is drie jaar,' zegt mijn vader. 'Dus ze is al over haar puberteit heen, gelukkig. Want één puber in huis is wel genoeg...' Hij grinnikt. Ik steek mijn tong uit. Eindelijk denken ze ook eens aan mij!

Ik vraag gretig met een grijns van hier tot Wenen: 'Wanneer gaan we naar haar toe?'

'Als jij wilt, nu meteen. Ik heb nog wel even tijd voordat ik moet gaan koken,' zegt mijn moeder met een blik op haar horloge. Mijn vader stemt in met een knik.

Ik spring op en ren naar de gang om mijn gympen aan te trekken. Ondertussen sms ik Juna, zij moet het als eerste weten. IK HEB AL EEN VRIENDIN IN OOSTENRIJK! Als ik één gymp aan heb, krijg ik een sms terug: HOE BEDOEL JE?! Sms'en is eigenlijk topsport. Iemand uit mijn klas had een sms-duim omdat ze zo veel met haar vriendje zat te chatten via de telefoon. IK KRIJG EEN HUSKY!!!!!!! KOM JE OOK? DAN GAAN WE NAAR HET ASIEL! Zodra ik mijn tweede gymp aan heb, krijg ik een bevestiging terug.

We staan al zes-en-een-halve minuut buiten te wachten als Juna aan komt racen. Ze laat haar fiets vallen en omhelst me meteen. 'Wat geweldig voor je!'

Ik schreeuw in haar oor: 'Ik ben zo blij!'

'Nou moet ik ook nog oppassen dat die hond niet mijn plek in gaat pikken...' zegt Juna met een grijns.

Mijn vader vraagt met een scheve lach: 'Niemand kan jou toch vervangen?'

'Nou... Zo'n lekkere zachte knuffelhond...' giechel ik.

Juna geeft me voor de grap een draai om mijn oren die nog best hard aankomt. Vervolgens zet ze haar fiets tegen de muur van ons huis. We stappen in de auto en gaan op weg naar het asiel.

Het is niet zo heel ver rijden, want tien minuten later staan we voor het asgrijze gebouw met boven de ingang een groot bord met 'Dierenasiel'. De adrenaline giert door mijn lijf, ik ben zo opgewonden dat Juna en mijn ouders moeite hebben me bij te houden. Het gebouw is vrij steriel vanbinnen. Achter de balie, een paar meter van de ingang, zit een mevrouw met een brilletje.

'Waarmee kan ik jullie helpen?' vraagt ze. Ze kijkt ons een voor een aan. Maar als ze mijn ouders ziet, komt ze van haar plaats en wenkt al lopend: 'O, jullie ken ik al. Kom maar mee. Ze zit al te wachten!'

Ik volg de vrouw op de voet. Glimlachend kijk ik naar Juna, die ook opgewonden is. Als we een lange gang uit gelopen zijn, hoor ik al dierlijke geluiden. We gaan een klapdeur door die aan de onderkant helemaal kaal gekrabd is. Meteen klappen mijn trilharen naar beneden van al het lawaai. Doet de arbeidsinspectie daar niks aan of zo? Het kost je nog eens je gehoor...

'Nou, hier moet je ook niet al te vaak komen, zeg!' roept Juna boven het geluid uit, met haar handen over haar oren.

De vrouw antwoordt: 'O, je raakt er wel aan gewend als je hier een tijdje werkt.'

We lopen een paar hokken voorbij met in elkaar gedoken honden, afgewisseld met luid blaffende ADHD-honden. Dan staat de vrouw stil en wijst naar een hond helemaal in de hoek van een hok. Ze ligt met haar fijn getekende kop op haar voorpoten te slapen. Hoe ze dat doet in dit lawaai, geen idee. En dan valt de wereld even voor me weg. Ik zie alleen maar het dier dat straks van mij is. Dit is nou echt liefde op het eerste gezicht!

Juna stoot me aan met een glimlach van oor tot oor. 'Je mond staat open, joh.'

Gauw klap ik de klep dicht en hurk neer. Nanouk opent eerst één oog, zo helderblauw als het ijs aan de onderkant van een gletsjer, waar het vuil het ijs nog niet lelijk heeft gemaakt. Dan verschijnt er een tweede oog en springt ze al kwispelend op. Ze rent naar het hek en likt mijn uitgestoken handen. Ik kus haar snuit die ze door de tralies heeft gestoken en krijg er meteen een lik voor terug. Juna hurkt ook naast me neer, maar Nanouk lijkt toch een voorkeur voor mij te hebben. Mijn moeder wrijft me over mijn schouder. 'Is het wat?'

'Ja!' roep ik uit. 'Mag ik haar al meenemen?'

Mijn vader vraagt ernstig: 'Weet je heel zeker dat je haar wilt hebben? Je moet haar wel zelf uitlaten, want ik ga dat niet voor je doen. En eten geven, en borstelen, en douchen als ze in de sloot is gesprongen...'

'O, en anders bel je mij maar! Je weet me te vinden!' lacht Juna.

'Zelfs als ze in de sloot is gesprongen?' vraag ik vol ongeloof.

Juna kijkt even bedachtzaam, en trekt dan een gezicht. 'Nee, dat niet. Maar je mag me wel bellen voor dat andere hoor!'

'Ja, dag! Ik vind het zelf veel te leuk.'

'Weet je het zeker?'

'Pap, ik zweer het met mijn hand op mijn hart.'

'Je mag haar ook eerst uitlaten. Dan kan je er wat rustiger over nadenken,' zegt de vrouw met een rimpel in haar voorhoofd. Ze lijkt nou net zo'n buldog.

'Ja, doe dat eerst maar even Lio,' zegt mijn moeder.

'Oké.' Ik sta op terwijl de vrouw een riem gaat halen en het hok openmaakt. Ze schuift de halsband over Nanouks kop en geeft de riem aan mij. Nanouk springt tegen me op, waardoor ik bijna omval. Tjee wat is ze sterk!

'Ja, de bouw van haar voorouders zit nog in haar,' zegt de vrouw. 'Maar ze zal haar kracht nooit op een verkeerde manier gebruiken. Ze is hier nu al een jaar, en ze heeft nog geen vlieg kwaad gedaan. Echt een schat.'

Ik glimlach, omhels het dier, dat warm en zacht aanvoelt, en loop met haar en Juna naar buiten. Mijn ouders gaan alvast de papieren invullen. Nanouk trekt aan de riem, omdat ze zo graag naar buiten wil, denk ik.

'Echt een buitenhond,' constateert Juna. Nanouks staart, die zonet nog naar beneden wees, gaat omhoog. Het voelt echt alsof ik haar al zo lang heb!

Mijn kaken doen pijn van de hele weg glimlachen als we na een minuut of twintig weer het asiel in stappen. Mijn vader tekent net een of ander formulier. Hij legt de pen neer en kijkt me aan. 'Nanouk is nu officieel van jou.'

Het is alweer vijf dagen geleden dat Nanouk in mijn leven kwam. Op de een of andere manier voel ik door haar minder angst voor de toekomst. En als het niks zou worden met vriendschappen in Oostenrijk, heb ik altijd haar nog. Meer heb ik eigenlijk ook niet nodig. Buiten Juna om dan... Maar in Oostenrijk heb ik haar sowieso niet.

Ik fiets samen met Juna van school. Nog maar even, dan is het zomervakantie. En daarna zal ik nooit meer naar school fietsen, maar voortaan met de bus gaan.

Ze stelt opeens voor: 'Zullen we vanmiddag even de stad in gaan?'

Ik ontwijk een moeder met kinderwagen die zonder te kijken de straat oversteekt. 'Ja, leuk!' En dan, als een donderslag bij heldere hemel bedenk ik dat het waarschijnlijk de laatste keer zal zijn vóór ons vertrek. Want dat is al over een week. Eigenlijk moet ik mijn spullen in gaan pakken, maar ik stel het nog maar voor één keer uit.

We fietsen meteen door naar het centrum, waar het krioelt van de mensen. Op zo'n mooie dag als vandaag wil iedereen buiten zijn, geloof ik. Spontaan heb ik heimwee naar Nanouk. Wat heb ik zin in een wandeling door het bos... Dat had ik vroeger ook nooit. Wandelen is voor ouwe mensjes, die zomaar uren in het bos kunnen dwalen omdat ze toch zeeën van tijd hebben, dacht ik. Maar sinds ik Nanouk heb, vind ik het eerlijk gezegd ook heel lekker. Het is zo stil in het bos. Je hebt er alle rust om alles eens goed op een rijtje te zetten, even het hectische thuis met al dat geregel en dat ge-inpak te ontvluchten.

'Kom, laten we hier even kijken,' zegt Juna terwijl ze me aan mijn arm meetrekt richting een kledingwinkel. Ze zet een gigantische zonnebril van het rek dat voor de winkel staat op haar neus, waarin ik mezelf weerspiegeld zie. Juna schudt haar hoofd en duwt de bril terug in het rek. Algauw staan we in de koele winkel. Juna ziet al meteen van alles, en houdt ook voor mij een shirtje omhoog.

Ik zet mijn heimwee naar Nanouk aan de kant en pak het shirtje van haar aan. Zou dit het laatste modieuze kledingstuk zijn dat ik voor een hele lange tijd in handen heb? Want die kleren waar ze in Oostenrijk in lopen, zijn in Nederland al een eeuw uit de mode. Of erger nog: ze lopen er in van die gehaakte truien van oma. Je weet wel, van die wollige boerentrientruien waar mijn moeder de laatste tijd ook in rondloopt. Als ze voorbijkomt, ruik je zo'n schapenwalm. Ik grijns. Dan duik ik de paskamer in en kom er met een hele stapel goedgekeurd spul weer uit.

Als ik net heb afgerekend, staat Juna voor mijn neus met een knaloranje T-shirt met 'Hup Holland' erop. Compleet met klomp. 'Die krijg je van mij!' zegt Juna terwijl ze haar portemonnee pakt. Ik geef haar snel een kus op haar wang. Ze kijkt me vragend aan.

Ik haal mijn schouders op en zeg: 'Nou, gewoon. Ik vind je lief.' Ik knik er bevestigend bij.

Juna slaat een arm om me heen en geeft mij een kus terug. 'Ik vind jou ook lief. Niemand kan jou vervangen.'

De tranen springen in mijn ogen. Snel doe ik alsof mijn veter loszit.


Vandaag is de laatste dag school van dit cursusjaar, zoals ze het zelf noemen. Iedereen is ontzettend vrolijk en druk, alleen ik zit stil in de klas. Deze dag zal de laatste zijn waarop ik achter een Nederlandse tafel zit in een Nederlands klaslokaal. Ik kijk het lokaal rond, maar een paar klasgenoten heb ik uitgenodigd voor mijn tuinfeest. De rest zal ik straks gedag moeten zeggen. Ik zucht diep. Juna kijkt me met een begripvolle blik aan en legt even haar hand op mijn arm.

De leraar roept tegen de klas dat iedereen even zijn mond dicht moet houden omdat hij iets wil zeggen. Het rumoer gaat gewoon door. Hij draait zich om en schrijft op het bord: 'Attentie, attentie. Graag uw aandacht.' Als ook dat niet helpt omdat iedereen wel aandacht heeft voor elkaar maar niet voor het bord, buldert hij: 'Stilte!' Langzaam neemt het geluid af en word het enigszins rustig.

'Hè, hè, dat werd tijd. Ik wilde even extra aandacht voor Liona, die vandaag voor het laatst is. Liona, kom even naar voren.' Hij wenkt.

Met frisse tegenzin sta ik op en loop naar hem toe. Hij legt zijn hand even op mijn schouder. Dan zegt hij tegen mij speciaal: 'Een bijzondere dag waarschijnlijk voor jou.' Hij kijkt me over zijn brillenglazen aan. 'We hebben daarom iets voor je, waardoor je deze laatste schooldag hier in Nederland nooit meer vergeten zult.' Dan bukt hij zich en haalt van onder zijn tafel een enorme knuffelbeer tevoorschijn waar iedereen zijn naam op heeft gezet. De klas juicht en applaudisseert.

'Dank jullie wel,' stotter ik met rode wangen. Ik barst in snikken uit. De leraar legt een arm om mijn schouders, het is ineens doodstil. Als ik weer wat rustiger ben geworden geeft hij me een stevige hand. 'Veel succes, meid. En vergeet ons niet, hè?'

'Met deze beer nooit.'

Dan gaat de bel. Normaal rent iedereen als kuddedieren de klas uit, maar deze keer verdringen ze zich voor me om me een hand te geven, te zoenen of te omhelzen. Ik word warm vanbinnen, wat de somberheid verdringt die ik net nog zo had gevoeld. Dankbaar loop ik even later met de beer in mijn handen de school uit, en ik kijk nog één keer achterom.

Na een halve week van veel voorbereiden en regelen wordt er aangebeld door de eerste feestganger die mijn tuinfeest komt bezoeken. Het is Juna, wie anders? Ze heeft me gisteren geholpen met boodschappen doen en feestverlichting ophangen, aangezien mijn ouders de laatste dagen alleen maar als gestreste kippen door het huis rennen.

'Hoi!' roept ze vrolijk.

'Je bent de eerste!' Ik heb het nog niet gezegd of er staat een heel clubje klasgenoten voor de deur.

Het is al twee weken zomervakantie, dus is het tuinfeest niet erg goed gepland, veel mensen zijn weg. Maar ja, om je afscheidsfeestje te houden wanneer je pas over een half jaar weggaat, is ook zo wat. Gelukkig konden de mensen waar ik het meest mee heb toch nog komen.

Nanouk zou al die mensen helemaal geweldig hebben gevonden. Maar mijn ouders hebben haar meegenomen naar Dion, waar zij op bezoek gingen om mij de ruimte te geven. Als ik mijn klasgenoten de tuin heb gewezen staan er nog meer genodigden voor de deur. Na een half uur is bijna iedereen in de tuin en schalt de muziek door de buurt. Juna helpt me flessen en pakken drinken klaar te zetten op de tafels. Het is heerlijk weer, zelfs nu het al avond begint te worden.

Jamie, een klasgenoot, vraagt: 'Hé, waar zijn je ouders, Liona?'

'O, die heb ik de deur uit gewerkt,' lach ik. 'Ouders kun je bij zoiets niet gebruiken, hè?'

Dan roept Sterre, een meisje uit mijn klas: 'Attentie, attentie!' Meteen neemt het geluid af. Dat gaat heel wat sneller dan in de klas. Iedereen kijkt naar Sterre, die op de schommelstoel is geklommen. Hij schommelt gevaarlijk heen en weer, ik zie haar straks nog eens een keer met haar neus in het gras liggen.

'Ik wilde Liona even naar voren roepen. Waar is onze feestgangster en emigrante?'

Ik voel mijn wangen rood worden en fluister tegen Juna: 'Moet dat echt?'

'Ja, joh! Da's leuk!' Ze duwt me naar voren. Als ik voor de schommelstoel sta, pakt Sterre mijn hand en trekt me omhoog, ook op het wiebelige ding. Hij beweegt hard heen en weer, dus we moeten elkaar stevig vasthouden om niet te vallen. Als de stoel wat rustiger is geworden, grijnst ze naar me en zegt luid, zodat iedereen het kan verstaan: 'Nou, namens al je klasgenoten hebben we iets voor je.' Ze gebaart naar Jamie, die naar voren komt met een enorm pak.

Ik pak het van haar aan. 'O, dat hoeft helemaal niet!' Ik voel dat ik weer bloos en druk mijn handen op mijn rode konen.

'Jawel! Het is toch niet niks dat je helemaal naar Oostenrijk gaat verhuizen? En we zullen je vast en zeker missen, en jij ons ook. Gok ik. Dus hier een cadeautje zodat je je ons altijd zal herinneren.'

Ik omhels haar eventjes en pak dan het cadeau uit. Het is een fotoboek. Ik blader het nieuwsgierig door met een paar tranen in mijn ooghoeken. Foto's van kamp, van excursies... Maar ook persoonlijke foto's, bijvoorbeeld van Juna en ik die gekke bekken trekken op een slaapfeestje in de kleuterklas, en Sterre en ik achter een kraampje met rotzooi tijdens Koninginnedag in de stad. 'O, bedankt!' roep ik blij naar iedereen.

'Iedereen die een foto had waar jij op staat, heeft meegeholpen aan dit boek.'

Ik val Sterre nogmaals om haar hals. Mijn avond kan niet meer stuk.

We feesten nog lang door, met muziek, met drankjes en hapjes. Met iedereen knoop ik voor het laatst een gesprekje aan, en ik neem nog wat cadeautjes in ontvangst. Als ietsje na één uur die nacht de tuin weer rustig is, blijf ik met een weldadig gevoel

80

achter. Een feestje is altijd leuk, zelfs als het een afscheidsfeestje is. Ik heb er eerlijk gezegd ook niet heel erg beteuterd bij stilgestaan dat dit toch écht de laatste keer is dat ik de meesten van
mijn vrienden en klasgenoten zie, ook al heb ik het wel steeds
over de emigratie gehad met iedereen. Het was gewoon te gezellig om er lang bij stil te staan! Ik zak neer op de schommelstoel en laat de avond nog even op me inwerken, bladerend in
het fotoboek.

# 8

Ik word gek van mijn moeder. De hele tijd loopt ze al heen en weer te sjouwen met dozen, spullen en kleren. Nu vooral kleren, waarbij ze continu vraagt: 'Zal ik dit aandoen vanavond?' Ze is zenuwachtig. Maar vandaag ben ik het ook wel een beetje, want vanavond om acht uur begint het afscheidsfeest van mijn ouders. Ik vlucht naar boven en graai in wat dozen, op jacht naar het oranje T-shirt dat ik een week geleden van Juna heb gekregen. Opeens gaat de deur open en komt Nanouk al niesend binnen. De spetters op mijn deur laat ik zitten als welkomstcadeautje voor de nieuwe bewoners.

'Hé, Noukie!' roep ik verrast. Ik aai haar over haar kop, die zo zacht is als fluweel. Veel zachter dan de rest van haar vacht. Ik kam met mijn handen door haar pels, waar hele groeven in achterblijven. Ze hijgt een beetje. Wat wil je ook met zo'n dikke jas aan, terwijl het al bijna zomer is! 'Zullen we naar het koele bos gaan?' vraag ik aan haar. Ik zie mezelf in haar helderblauwe fonkelende ogen. Ik vat het op als een 'Ja graag, vrouwtje'.

Een kwartier later worden we aangenaam verwelkomd in de koelte van de bomen. Hier zijn de bomen allemaal aangeplant. Ze staan in nette rijen naast elkaar, heel anders dan in Oostenrijk. Daar is het tenminste nog een beetje ruig. Wat zal Nanouk straks van Oostenrijk vinden? Helemaal te gek, dat weet ik eigenlijk wel zeker. Ze is echt een buitenhond. Ik heb me al voorgenomen om iedere zondag een lange wandeling te maken naar een top. Want zondag is altijd een vrij strikte rustdag in Oostenrijk. Het merendeel van de mensen daar is gelovig, namelijk.

Nanouk geniet zo van het buiten zijn. Haar staart wijst hoog de lucht in, een teken dat het goed met haar gaat. En dan word ik ook blij. Ik begreep het nooit als mijn moeder zei: 'Als het met jou goed gaat, gaat het met mij ook goed.' Maar Nanouk is een soort kindje van me. Zo voelt het tenminste. En nu pas begrijp ik mijn ma.

Mijn hond rent me voorbij en ik ren haar achterna. Meteen een beetje conditie kweken voor de wandelingen die ik me heb voorgenomen... Maar ze rent veel harder, en algauw ben ik haar uit het zicht verloren.

'Nanouk!' roep ik. Ik hoor een keihard gekakel van niets minder dan een fazant, en een luid geblaf van niets minder dan mijn eigen lieve hondje... Ik schreeuw nog harder: 'Nanouk!' en trek een sprintje naar het geluid. Daar staat ze dan, hoor, met haar kop in haar nek naar de fazant op de tak te kijken. De fazant kijkt op zijn beurt weer naar zijn belager die een paar meter onder zich de boel onveilig maakt. Al kakelend en al blaffend voeren ze de strijd. Lachend geef ik Nanouk een zachte klap op haar achterwerk en ik duw haar weg bij haar 'prooi'. 'Rennen, Nouk!' Algauw zoeft ze me voorbij, met haar oren in haar nek en met haar staart recht achter zich aan. Wat een geweldig beest is ze toch!

Het is bijna acht uur en alle genodigden zijn volgens mij al binnen. Inclusief Nanouk, maar zij is gewoon een lid van ons gezin geworden. Ze drentelt een beetje rond mijn benen. Ze weet niet goed wie ze nou moet begroeten, want iedereen is wel leuk en aardig.

Juna komt binnen met de regenspetters nog op haar gezicht. Het zal eens niet regenen in dit kikkerland... Ik hoop dat ik daar straks min of meer van verlost ben! Ze komt naast me staan, maar zakt meteen door haar hurken om Nanouk te aaien.

'Ik zie het wel, hoor. Nouk aaien is gewoon een dekmantel om je gezicht af te kunnen drogen,' zeg ik grinnikend.

'Ja, natuurlijk! Heb je me weer door...?'

'We zijn al zo lang vriendinnetjes, hè.' Ik pak haar bij haar schouders en trek haar heel eventjes tegen me aan.

Juna merkt op: 'Wat sta je hier trouwens achteraf. Moet je niet naar je familie?'

'Ik ben toch bij mijn familie?' zeg ik glimlachend. 'Maar om op je vraag terug te komen: nee, dat hoeft van mij niet zo.' Ik heb er gewoon een beetje moeite mee. Wat moet je tegen elkaar zeggen als je elkaar voorlopig voor het laatst ziet? Gewoon over het weer praten, of sentimenteel gaan lopen doen? Ik weet het niet. Ik voel me een beetje ongemakkelijk. Het gaat veel minder soepel dan bij mijn tuinfeest drie dagen geleden.

'O, oké,' zegt Juna alleen maar, en gaat dan weer verder met haar gezicht afdrogen.

Dan komt Dion naast me staan, ze leunt net als ik ook tegen de houten muur van het café. 'Hoi,' begroet ik haar.

'Hé, Liona. Heb je het een beetje naar je zin?' vraagt ze.

Wat moet ik antwoorden? Ik zucht alleen maar. 'Tja'.

'Moeilijk?'

'Ja. Ik weet me niet zo goed een houding te geven,' zeg ik met een zwaai van mijn armen.

'O, dat kan ik me heel goed voorstellen!' Dion kijkt me begripvol aan. Juna ook.

'Wat?' vraag ik met een scheve lach aan Juna, die echt staat te staren alsof ik plotseling getransformeerd ben in een Tiroler alm-vrouwtje.

'Ik moet je toch nog even goed bestuderen, straks kan dat niet meer.' Ik geef haar een duwtje. Ondanks alles lachen we.

Dion vraagt: 'Heb je buiten je vriendin niemand uitgenodigd?'

'Nee, ik heb zelf toch al een tuinfeest gegeven.'

'Ja, dat weet ik. Maar toch... Je staat hier zo alleen...'

'Nou, ik ben gewoon gekomen hoor, of dit nou een feessie van je ouders is of niet! Zelfs door de regen, hè!' zegt Juna met een vinger in de lucht.

'Ja, ik vind het superlief van je, echt,' zeg ik.

We staan net met een glas drinken in onze hand als mijn va-der achter het altaar, of hoe zo'n preekding ook heet, gaat staan. Hij buigt het microfoontje naar zich toe en klopt erop. Typisch m'n pa. Hij schraapt oorverdovend zijn keel, omdat hij net het microfoontje naar zich toe had gebogen. Lacherig kijken we el-kaar aan.

Dan begint hij: 'Beste mensen. Familie, vrienden, kennissen. Jullie zijn zo aardig geweest om naar dit feest toe te komen om afscheid van ons te nemen. Natuurlijk niet voorgoed, maar het zal toch wel een tijd duren voordat we elkaar weer zien. In ieder geval wil ik jullie bedanken voor de moeite die jullie hebben ge-nomen voor ons.' Mijn tante veegt wat tranen weg, en mijn moe-der staat te slikken vlak voor dat preekding. Ik glimlach even naar Juna. O, wat moet ik zonder haar?!

'En nu wil ik dan het glas heffen op...' Hij steekt zijn glas om-hoog en wacht af. Er worden wat kreten geroepen: 'Op het ver-trek!' en: 'Op een behouden reis!' en: 'Op onze vriendschap!'

Mijn vader buigt zich over het preekgeval heen naar mijn moeder. Ze zegt iets, waarna mijn vader met een rode blos op zijn wangen weer omhoogkomt en zijn glas nog eens heft. 'Op de toekomst!'

Er barst een applaus los en iedereen steekt zijn glas al juichend in de lucht. Nanouk blaft enthousiast mee met het geluid en er wordt gelachen. Ik aai mijn hondenvriendin over haar kop. Ze gaat tegen mijn benen staan, wat betekent: 'Lekker vrouwtje, ga nog maar even door.'

Als het weer iets rustiger is geworden, komt mijn oom naar voren met een grote bos bloemen, die hij al kussend in de handen van mijn vader drukt. Heel handig: bloemen geven op de dag voor ons vertrek. Hoe moeten we die dingen goed houden? Ach, wat geeft het ook. Het is een aardig gebaar.

Dan komt Dion naar voren. Natuurlijk ook met een hele speech. Nee, geef mij maar een tuinfeest in plaats van een avond gevuld met speeches. Dit is allemaal zo officieel... Net een begrafenis of zo. Het zou best kunnen, hier staan ook heel wat mensen met natte ogen... Dion zet haar glaasje water neer en begint: 'Beste dames en heren. En meisjes.' Ze kijkt naar Juna en mij. 'Een paar jaar geleden hebben jullie niet zo'n makkelijke tijd gehad. Vooral jij niet, Ellen, toen je kampte met een hevige overspannenheid. Ik hoop niet dat dat de reden is voor jullie vertrek, maar ik wil nogmaals benadrukken dat jullie je er heel erg goed doorheen hebben geslagen als gezin. Want het was denk ik niet makkelijk.' Ik kijk naar mijn moeder, die er vrij onbewogen bij zit. Meestal als je het er met haar over hebt, raakt ze geëmotioneerd.

'Ik hoop van harte dat jullie een nieuwe toekomst op kunnen bouwen, ruim duizend kilometer verderop. Met nieuwe hoop, nieuwe kansen. En dat het verleden het verleden mag blijven. Dat jullie het achter je kunnen laten, net zoals Nederland. Dat jullie totaal tot rust kunnen komen en niks meer te maken hebben met het hectische leven hierzo.' Ze maakt een wijd gebaar met haar handen, waarbij ze haast het glaasje water omstoot. Juna gniffelt. Nanouk kijkt haar met een scheve kop aan. Haar oren zijn naar voren gespitst.

'Ik zal er altijd voor jullie zijn, ook al zit ik ver weg. Maar weet dat ik jullie een geweldige toekomst gun!' Mijn moeder glimlacht met waterige ogen. Dion bedankt voor de aandacht en er klinkt weer een applaus. Ik kijk naar mijn moeder, die een arm om haar vriendin heen slaat en wat in haar oor fluistert.

Juna stoot me glimlachend aan en loopt daarna naar voren. Ik blijf verbijsterd achter. Ik dacht dat ze altijd zo'n hekel had aan presenteren! En dan kan ze de kans eens voorbij laten gaan, doet ze het toch!

'Hallo, allemaal. Ik ben Juna, de vriendin van Liona.' Ze kijkt me met een grote grijns aan. 'Ja, ik heb een hekel aan presenteren, maar deze avond wil ik mezelf toch opofferen om nog een laatste iets te kunnen doen voor Lioon.' Massaal kijkt iedereen naar mij. Ik word rood van oor tot oor. 'Nou ja. Ik heb je al leren kennen op de basisschool. En nu hebben we bijna ook de middelbare afgemaakt. Ik vind het heel jammer dat ik je niet meer iedere dag kan opzoeken voor een babbel, een roddel of hulp met huiswerk. Maar we houden contact via van alles en nog wat, en ik zal je nooit vergeten. Lioon, je bent een schat!' Ze geeft een kushandje en weer kijkt iedereen achterom, naar waar ik sta. Er wordt wat ge-aht en ge-oht. Als Juna weer naast me staat val ik al huilend om haar nek. Ik kan het gewoon even niet meer inhouden. Iedereen kijkt toch al. Ik voel troostende handen op mijn rug en schouders van familie of vrienden.

Als ik na een paar minuten ben uitgejankt, zie ik door mijn wazige ogen dat er hapjes worden neergezet. Bah, olijven. Ik heb trouwens niet eens tijd voor hapjes, want ik moet aan de lopende band cadeautjes uitpakken: fotolijstjes met foto's erin, kaarsjes, kaartjes, klompjes, molentjes, enzovoort. Het had allemaal niet gehoeven!

Gelukkig houdt Nanouk zich bezig met de vis die ze krijgt van Juna's toastjes, zodat ik me geen zorgen hoef te maken of ze het wel naar haar zin heeft.

Na anderhalf uur wordt het wat stiller. Ik heb de pakjes uitgepakt. Voor me ligt een enorme stapel pakpapier in alle kleuren en maten. De mensen druppelen naar buiten, ik krijg niet eens de kans om een slok drinken te nemen, want ik moet telkens zoenen, gedag zeggen, lachen en bedanken.

Het is al half twaalf geweest, als eindelijk bijna iedereen weg is. Behalve Juna. Mijn ouders staan nog te praten met Dion. Ik ben moe en heb het ontiegelijk heet. Ook Nanouk staat te hijgen met haar kop duf naar beneden en haar ogen half dicht.

'Zullen we even naar buiten gaan?' vraag ik aan Juna.

Ze knikt. Even later zitten we samen op het stoepje voor het café. Het licht valt over ons heen, zodat we tenminste zien wat we zeggen in de donkere nacht.

'Nouk kan een poot geven, wist je dat?' zegt Juna.

'Nee! Laat eens zien?'

Juna gebiedt: 'Poot!' Nanouk slaat wat onbeholpen met haar linker voorpoot tegen Juna's uitgestrekte hand. Ik lach.

Opeens staat Michiel voor me, een jongen die in mijn oude

88

klas van vorig jaar zat. Een beetje zo'n machofiguur. Wel aardig, hoor. De gel in zijn stekels glinstert in het licht. 'Hoi,' zegt hij. Hij geeft Nanouk nonchalant een klopje op haar kop.

'Wat kom jij hier nou doen?' flapt Juna eruit.

'Nou, ik kwam Liona even gedag zeggen.' Hij komt naast me zitten. Ik kijk in zijn gezicht dat in het licht van het café zo wit lijkt als sneeuw. Ik probeer een opkomende glimlach te onderdrukken, want ik wil niet dat hij het gevoel krijgt dat ik hem uitlach. Wat wil hij van me? Waar komt die aandacht ineens vandaan? Begrijpen doe ik het niet.

Hij merkt mijn onbegrip op en stamelt: 'Nou ja, ik vond je altijd wel aardig. En ik had het gehoord van een vriend van me...'

Juna roept uit: 'Welke vriend? Je hebt er honderd!'

'Van iemand die ook in jullie klas zit.'

'O, oké. Kom je speciaal voor mij nog in het holst van de nacht langs?' vraag ik nog steeds niet-begrijpend.

'Eh, nou ja. Ik was in de buurt, dat zei ik toch?'

'O, dus alleen maar omdat je in de buurt was?' vraagt Juna met een ondertoontje dat ik nog nooit eerder van haar heb gehoord.

Hij roept uit: 'Ja, hallo! Is dit een kruisverhoor of zo?' Hulpeloos gooit hij zijn handen in de lucht en hij trekt zijn benen tegen zich aan.

'Koud stoepie, hè?' glimlach ik. Best wel een grappige situatie, moet ik zeggen.

Hij knikt en kijkt me weer aan. 'Nou ja. Ik hoop dat je het naar je zin krijgt in Oostenrijk. Ik kom je nog wel eens een keer opzoeken, oké?'

Juna plaagt: 'Je komt zeker in de winter bij haar intrekken, hè?' Ze kijkt hem even aan en voegt er dan aan toe: 'Zodat je geen duur ski-appartement hoeft te betalen!'

Michiel staat op. Hij veegt de zandkorreltjes van de koude stoep van zijn broek, die zowat op zijn kuiten hangt. Voor de vorm trekt hij hem een stukje omhoog. 'Hé, doei!' Hij zwaait nog even voordat hij in de nacht verdwijnt. Ik kijk hem nog steeds vol onbegrip na.

Juna barst in lachen uit.

'Nou begrijp ik er echt helemaal niets meer van!' roep ik uit.

'Weet je dat dan nog niet?' vraagt Juna hikkend van de lach.

'Wat?'

'Hij is hartstikke verliefd op je, man!'

'Op míj?'

'Ja, op jóú! Hij is al heel vaak bij me langsgekomen om informatie over je te vragen. Ik mocht er van hem helemaal niks over zeggen, hij wilde zelf een keer naar je toe gaan. Volgens mij maakt hij een werkstuk over je zodat hij er iedere avond naar kan kijken voor hij over je gaat dromen.'

Ik kijk haar aan. Weet ik dat...?

'O, mens! Jij hebt ook helemaal niks door, hè?!' Juna stoot me aan en wrijft met haar knokkels over mijn hoofd. 'Lekker ding!'

Dan komen mijn ouders naar buiten met Dion. 'Dag, meid!'

Ik sta op, met Michiel nog in mijn hoofd, en neem ietwat afwezig afscheid van haar.

'Ik kom je opzoeken, hoor!' Hoe vaak heb ik dat al niet gehoord vandaag?

'Ja, en wij jou.'

Als Dion met een laatste zwaai in haar auto stapt slaat mijn moeder een arm om me heen. 'Zo. Heb je een leuke avond gehad?'

'Mwoah,' zeg ik, met een schuin oog op Juna die staat te giechelen.

Mijn ma zegt: 'Nou, dan gaan wij ook maar, hè?'

Ik knik.

'Kom, neem afscheid van Juna,' zegt mijn vader zacht.

Juna valt om mijn hals. Ik kan niet onder dit moment uitkomen, ook al had ik het het liefst nog uitgesteld. Zo staan we, een eeuwigheid lang. Misschien zijn het maar een paar seconden, hooguit twee minuten, maar toch is die omhelzing zo innig. Dit moet misschien wel voor een heel lange tijd iedere dag de korte knuffels vervangen die we iedere dag geven als we elkaar zien. Een laatste traan wegpinkend zeg ik schor: 'We houden contact, hè?'

# 9

Als ik die avond in bed lig, staar ik in de duisternis van mijn kamer, die nog maar voor heel even mijn kamer is. Alleen voor vannacht nog. Het voelt ook eigenlijk niet meer als mijn stekkie. Al mijn kasten zijn leeg, mijn spullen zijn ingepakt. En de kasten die uit elkaar gehaald konden worden liggen nu alleen maar als losse plankjes op de vloer. Mijn tranen zijn op.

Ook al geloof ik niet in God, toch bid ik. Geen idee hoe het moet, maar ik maak er een eigen verhaaltje van. Ik bid of de meneer in de hemel mijn onzekerheid een beetje wil wegnemen. Of me op z'n minst wil helpen met het opstarten van een nieuw leven. Na mijn gebed staar ik nog een tijd naar het plafond. Nou maar afwachten of God mijn gebed als ongelovige wil verhoren... Dan draai ik me om op mijn matras, die op de grond ligt omdat mensen mijn bed drie dagen geleden gekocht hebben.

Ik zucht en probeer nog wat te slapen voor morgen, de grote dag. De dag waar ik zo veel actie om heb gevoerd. De dag waardoor heel mijn leven omver is gegooid. Moe sluit ik mijn ogen. Althans, ze vallen vanzelf dicht. Net alsof er gewichtjes aan hangen.

De volgende dag word ik vroeg wakker van de deurbel, mijn wekker is namelijk ook al ingepakt. En mijn moeder vond het blijkbaar niet nodig om mij eerder te roepen, zodat ik me niet zou hoeven te vertonen in een pyjama en een kop vol wallen. Ik hoor de deur opengaan en een luide mannenstem zeggen: 'Dag mevrouw. Wij komen verhuizen.'

Zuchtend sla ik de deken van me af, ik raap mijn kleren van de vloer en kleed me aan. Het is nu toch al te laat om te douchen. Ik wil echt niet in mijn nakie staan als zo'n verhuizer de wasmachine uit de badkamer mee komt nemen, want op onze badkamerdeur ontbreekt een slot. Daarnaast is de zeep ook al ingepakt. Verhuizen is niks voor mij. Laat staan verhuizen naar het buitenland. Ik schuif de gordijnen opzij en kijk nog een poosje uit over de daken. Zeg alles in gedachten gedag.

Dan hoor ik Nanouk blaffen en sjok naar beneden. Het arme beest weet ook niet wat haar overkomt. Nanouk loopt net achter een verhuizer aan die haar mand naar buiten draagt. Als ze mij ziet, blaft ze nog wilder. Ze drentelt om mijn benen.

'Zo, lekker geslapen voor de laatste keer?' vraagt mijn vader, die voorbijkomt met twee verhuisdozen.

'Heerlijk,' zeg ik schor, terwijl ik over mijn zere rug wrijf waarmee ik de halve nacht op de grond heb gelegen. Ik loop de keuken in, en maak uit gewoonte de kast open waar Nanouks brokken liggen. Leeg. Hè, stom. Ik kijk wat rond op zoek naar haar ontbijt, maar alles is weg.

'Mam? Waar is eten voor Nouk?' roep ik. Mijn moeder komt de keuken in gelopen en antwoordt eerst met een 'goedemorgen'. 'Als je nou even verder had gekeken dan je neus lang is, dan had je gezien dat op tafel een zakje met brokken voor haar ligt.'

'Welke tafel? De tafel is al weg.'

Mijn moeder kijkt me verbaasd aan en loopt terug naar de woonkamer. 'Niet waar. De tafel staat gewoon op een andere plek, anders stond hij in de weg voor de verhuizers.'

Ik loop naar haar toe. Ze wijst naar de hoek waar inderdaad de eettafel staat. 'Geeft niet hoor,' glimlacht ze, terwijl ze over mijn hoofd wrijft.

Ik spring op de tafel, Nouk gaat aan mijn voeten zitten. Naast het zakje met brokken ligt een broodje, maar ik heb geen behoefte aan eten. In mijn maag ligt een knoop die eten totaal onmogelijk maakt.

Zo lang als het kan, en dat is meer dan een uur, blijf ik op de tafel zitten. Ik voel er niks voor om mee te helpen. Eén: het is nog hartstikke vroeg, twee: anders loop ik alleen maar in de weg en drie: ik heb simpelweg geen zin om mee te helpen.

Uiteindelijk gaat de eettafel als laatste in de enorme vrachtwagen, en staat ons vertrek voor de deur. Ik kijk de kale woonkamer rond, en besef pijnlijk genoeg dat het nu toch echt definitief is. Dag huis, dag alles.

Ik loop naar de schuifdeur en laat Nanouk de tuin in. Ze rent op een drafje naar buiten, waar ze tegen de hortensia plast. We hoeven toch niet meer tegen die plant aan te kijken die straks een dooie plek vertoont, dus zal mijn vader het vast niet erg vinden. Nouk drentelt wat in de tuin rond, snuffelt aan het gras en verdwijnt tussen de struiken.

Ik blaas met mijn adem tegen de ruit en schrijf 'I ♥ Holland' in het beslagen rondje. Opeens sprint er een kat uit de struiken vandaan, op de voet gevolgd door Nanouk. De kat springt in één beweging op de schutting, waarachter hij verdwijnt. Nanouk komt nog net op tijd tot stilstand, anders was ze dóór de schutting gevlogen. Ze blaft keihard. Ik open de schuifdeuren weer en roep haar bij me. Met een laatste blik op de verloren kans dribbelt Nanouk naar me toe.

Als ze weer binnen is staat zacht ze zachtjes te janken voor mijn voeten. Mijn zicht wordt een beetje wazig door de tranen die opkomen in mijn ogen. Ik knipper ze stevig weg en kijk naar beneden, in Nouks mooie ogen. Zonder dat ik er voor honderd procent achter sta, zeg ik tegen haar: 'We maken er daar ook wel wat van, hè?'

Opeens voel ik een hand op mijn schouder die er zachtjes in knijpt. Ik had niet eens gemerkt dat mijn vader naast me is komen staan. Hij kijkt me aan met een waterige glimlach. 'Toch wel even slikken, hè?'

Ik knik en haal mijn neus op. Buiten klinkt de stem van mijn moeder die de verhuizers bedankt. Dan start de motor en rijdt de vrachtwagen weg met onze spullen. Op weg naar ons nieuwe huis.

Mijn moeder loopt de kamer in, haar voetstappen echoën. Ze slaat een arm om mijn vader heen en kust hem. Mijn kin trilt, Nanouk kijkt me aan. Dan aait mijn moeder me over mijn hoofd en laat ik de zoveelste tranen stromen. Algauw staan we verwikkeld in een groepshug, met Nanouk in het midden aan onze voeten. Ik staar naar mijn vaders slippers, waar een poot van Nanouk op staat. Mijn buik doet pijn en ik voel me leeg. Helemaal leeggezogen.

Als we uitgehugd zijn, zegt mijn vader zacht maar nadrukkelijk: 'Dan gaan we maar.' Hij vist zijn autosleutel met een klomp eraan – die heeft hij gekregen op het afscheidsfeest – uit zijn zak en loopt als eerste de kamer uit.

Mijn moeder pakt me bij mijn arm en trekt er zachtjes aan. 'Kom, meis. We moeten het niet te lang uitstellen.'

Dan loopt ze weg, en ik ga haar na een lichte aarzeling achterna. Ik laat mijn hoofd hangen. Het gaat gewoon vanzelf.

Nanouk dribbelt achter me aan, zonder zich er volgens mij van bewust te zijn wat er allemaal gebeurt. Ik stap de gang in, de deur door, de drempel over. Wacht tot Nanouk ook over het cruciale punt heen is en trek dan de deur dicht. Met elke centimeter die de deur verder dichtgaat, zie ik minder van ons huis erachter. Er schieten herinneringen door mijn hoofd. Mijn leven dat ik in dit huis geleefd hebt, met heel veel plezier. Nou ja, behalve de laatste tijd dan. De laatste centimeter vloer verdwijnt achter de deur, die zachtjes in het slot klikt. Mijn vader staat naast de deur te wachten met de sleutel. Hij sluit af en gooit het ding door de brievenbus. Hij lijkt zo ontspannen. Met een pijnlijke plof valt de sleutel aan de andere kant van de deur op de grond. Nu kunnen we er niet meer in. Ik slik, draai me om en loop naar de auto.

Het is ietsje over achten als mijn vader de motor start en we wegrijden. Ik let alleen maar op mijn ademhaling om maar niet achterom te kijken. Maar dan hoor ik geroep, en zegt mijn moeder: 'Liona! Juna!' Ik kijk vliegensvlug achterom, en zie dat Juna ons achternaracet op de fiets.

Mijn vader stopt en draait het raampje naar beneden. Juna springt van haar fiets en laat hem gewoon op straat liggen. Haar rode hoofd verschijnt door het raampje. 'Ik hoopte zó erg dat jullie nog niet weg waren!' hijgt ze.

'Juna!'

'Nou, het ga jullie goed.' Ze steekt haar arm nog even naar me uit en pakt mijn hand beet. Na nog een aai over de kop van Nanouk trekt ze haar hoofd terug en rijdt mijn vader verder. Ik kan niks meer uitbrengen, wat niet erg is. Ik zwaai alleen maar naar Juna. Snel, en vol overgave. Nanouk heeft zich omgedraaid en kwijlt de achterruit onder. Ik sla een arm om haar heen en zwaai net zo lang met mijn andere arm naar Juna totdat we de hoek om rijden en ze uit het zicht is.

We zitten al drie uur in de auto. Ik hang onderuitgezakt op de achterbank met mijn hoofd op de hoedenplank door de achterruit naar de voorbijtrekkende wolken te kijken. Nanouk ligt met haar kop op mijn schoot te slapen.

Mijn vader doorbreekt de stilte. 'Wat was het feest gisteravond fijn, hè?'

'Ja, nou. Om nooit meer te vergeten,' zegt mijn moeder. Er steken wat plukken haar boven haar hoofdsteun uit, best een grappig gezicht. Als ze knikt, zie je alleen haren dansen.

Ik vraag aan haar: 'Vond je het niet moeilijk dat Dion voor de menigte begon over je overspannenheid?'

De haren bewegen en haar gezicht verschijnt naast de hoofdsteun. 'Tja, wat moet je ervan vinden?'

'Nou, niks. Maar je was helemaal niet zo geëmotioneerd. Best wel bijzonder eigenlijk.'

'Het is gebeurd, en gebeurd is gebeurd. En trouwens, iedereen weet het toch al.'

'Ik moest wel even slikken als ik eerlijk ben,' zegt mijn vader.

Dan is het een hele tijd stil. Een grote wolk vlak boven de auto verandert in een konijntje. Opeens hoor ik een snik. Mijn vader aait mijn moeder over haar wang. Mijn moeder snikt met gierende uithalen. Best vreemd eigenlijk. Je zou denken dat ze in een opperbest humeur moet zijn omdat haar droom eindelijk uit gaat komen. En nou zit ze te janken...

Na een paar minuten wordt ze weer wat rustiger.

'Heeft die psycholoog je echt niet omgepraat?' vraag ik na een tijdje.

'Wat?'

'Nou, dat hij je wens heeft aangewakkerd.'

'Kijk, bij Benjamin hebben we ook een heleboel gepraat over de dingen die mij konden helpen uit het karrenspoor van de overspannenheid te komen. En toen kwamen we ook bij mijn diepe wensen en verlangens. Dat was natuurlijk in Oostenrijk gaan wonen.' Haar haren springen op en neer boven de steun.

Mijn vader zegt: 'En het komt echt niet allemaal van je moeder vandaan, als je dat soms denkt. Je moeder en ik delen die wens al heel lang.'

'Ja, maar mam heeft je wel omgepraat.'

'Nee, want ik wilde het ook al zo lang. We hebben er samen vaak van gedroomd, en hebben het uitvoerig besproken.'

Ik constateer: 'Zonder mij.'

'Dit zijn dingen die je eerst met je partner moet bespreken, Liona,' zegt mijn moeder. 'En het zijn wel grote-mensen-dingen.'

Ik slik mijn weerwoord in. Het heeft nu toch geen zin meer. En zo vervolgen we onze weg naar Oostenrijk in stilte.

Na een hele tijd zegt mijn vader: 'Kijk, is dat niet onze verhuiswagen?'

Ik veer overeind, waarbij ik mijn hoofd stoot tegen de achterruit doordat ik met mijn hoofd op de hoedenplank lag.

Mijn moeder kijkt op van haar tijdschrift en zegt: 'Je hebt gelijk! Dat is de verhuiswagen, Lio!' Ze wijst naar een vuile vrachtwagen aan de rechterkant van de weg.

'Ik zie het niet, je hoofd zit ervoor, mam.' Ik heb het nog niet gezegd of m'n pa rijdt het gevaarte luid toeterend voorbij. De verhuizers kijken ons verbaasd aan, waarna de bijrijder zijn duim omhoogsteekt en de bestuurder zwaait en ook toetert. Ik barst in lachen uit en zwaai nog lang door de achterruit naar de verhuiswagen. Andere automobilisten kijken ons verbaasd aan, een enkele wijst naar zijn voorhoofd. U moest eens weten wat die wagen voor ons betekent, denk ik. Heel ons leven zit er zowat in!

De bergen worden steeds hoger. De soms witte toppen prikken in de stralend blauwe lucht. Ik kan er niks aan doen, ik houd nog steeds van Oostenrijk. Ook al heeft alles wel een heel andere betekenis gekregen nu we er gaan wonen. Nanouk kijkt uit het raam, ziet van alles. Er komt een blauw busje voorbij waarin een andere hond uit het raam kijkt. Ik heb meteen een tuitend oor als ze haar bek opentrekt.

Even later komen we langs een weiland met koeien. Ook al zitten de ramen dicht, de bellen om hun halzen horen we nog steeds helder klingelen. En weer slaat Nanouk aan. Haar staart zwiept in mijn gezicht heen en weer. Ik kriebel haar op de twee botjes boven haar staart, waar ze krom van gaat staan en haar ogen van dichtdoet, en waar ze vooral stil van wordt. Ik glimlach.

Elf uur na ons vertrek uit Nederland rijden we de berg op waar we gaan wonen. In de dichtstbijzijnde stad hebben we wel eens gekampeerd, dus gelukkig is deze omgeving niet helemaal nieuw voor me. Wel voor Nanouk. Kwijl druipt naar beneden terwijl ze wild staat te kwispelen bij alles wat ze ziet. Na tien minuten zijn we halverwege de berg en wijst mijn pa: 'Kijk, daar is het!' Ik volg zijn vinger die naar een groot huis wijst. De derde verdieping is met donker hout bedekt, en er hangt een balkon aan. De rest van het huis is lichtblauw geverfd. Ik slik en kan een glimlach niet onderdrukken. Er kriebelen vlinders in mijn buik. Het huis is twee keer zo groot als ons ex-thuis! Mijn vader rijdt hotsend het pad op, dat duidelijk nog een keer bestraat moet worden.

Nanouk springt als eerste de auto uit zodra de deur opengaat. Mijn moeder zucht diep en keert haar gezicht meteen naar de zon. Ik snuif de buitenlucht op. Het ruikt naar dennen en hout. Nanouk hangt met haar neus op de grond en rent naar het huis. Ze keert haar kont tegen de muur en pist meteen een heel stuk huis onder.

'Zo, het huis is ook vast ingewijd,' lacht mijn vader, wijzend naar de grote natte plek op de muur.

Ik kijk om me heen. Bergen torenen hoog boven ons uit. Een roofvogel cirkelt in de stralend blauwe lucht boven ons huis, waartegen de enorme vogel zwart afsteekt. In het dal glinsteren schoorstenen in het zonlicht. Dan pakt mijn vader de sleutels en houdt ze omhoog. 'Is iedereen er klaar voor?'

Mijn moeder pakt meteen het fototoestel uit haar tas, terwijl mijn vader met twee rammelende klikken de grote houten voordeur van het slot haalt. Hij staat breed te lachen in de lens. Mijn vader tovert een huis tevoorschijn vanachter de deur en gebaart dat ik als eerste naar binnen mag.

Aarzelend stap ik over de drempel. Als mijn ogen gewend zijn aan de schemer, zie ik dat ik in een nog lege gang sta. Nanouk snuffelt wild rond. Ik open de deur links van me, en meteen komt de zon me tegemoet door een grote glaswand.

'Wauw!' roep ik uit. Het is er eerder uit dan ik dacht. Er staan al wat meubelen, waaronder een bank. Ik plof erop neer, veer weer overeind en loop snel achter Nanouk aan, die zo te horen naar boven is gegaan. In het voorbijgaan passeer ik paps en mams, die in elkaar verstrengeld midden in de kamer staan te zoenen. Het zal ook eens een keer niet zo zijn... Snel ren ik naar boven, over een grote houten trap die hier en daar een beetje kraakt. De tweede verdieping is voor de gasten, dus ik ga meteen door naar de derde. Ik zie Nanouk al vanaf de overloop in een kamer. Als ik de kamer binnen loop, zit ze met een ogenschijnlijke grijns op een bed van bewerkt hout. Best mooi. Ik laat me naast haar neervallen. Nouk likt heel mijn gezicht onder, wat niet echt fris ruikt, moet ik zeggen. Snel veeg ik mijn gezicht schoon en geef haar een duwtje. Dan gaat ze rustig naast me liggen en sluit haar ogen, een teken dat ze het naar haar zin heeft. Ik kijk door het raam naar buiten. Ik zie bergen en blauwe lucht. Ultieme vrijheid. Maar toch voelt het een beetje beklemmend. Dit is dus ons nieuwe 'thuis'.

Mijn moeder komt binnen en gaat op het randje van het bed zitten. Ook zij kijkt naar buiten. 'Hoe vind je het?' vraagt ze.

'Het voelt nog niet als thúís.'

'Nee, maar dat komt wel.'

'Zou het?'

'Ja, tuurlijk.'

Ze aait me over mijn bol en loopt dan weer weg. Thuis, thuis, thuis. Hoe vaker ik het denk, hoe meer ik het zal geloven, hoop ik.

Vanbuiten hoor ik geronk, kort daarop gevolgd door gehobbel. Het zal de vrachtwagen wel zijn die over de slechte oprit aan komt rijden. Even later klinkt gerommel en geroep: de verhuizers hebben voet op Oostenrijkse bodem gezet. Ze hebben er toch twee uur langer over gedaan dan wij. Ik trek mezelf weg bij het raam en ga mijn goede wil maar eens tonen. Ik kan ten minste mijn eigen spullen uitruimen.

Maar ik sta al meteen een verhuizer in de weg die met een grote kast voorbijkomt. Ik druk me plat tegen de muur, maar hij botst toch nog tegen me aan.

'Liona, loop eens niet in de weg!' roept mijn vader. 'Je ziet dat we bezig zijn!'

'Ja, ja,' mompel ik.

Ik slof naar de auto, waar de brokken voor Nanouk in liggen. De deur zit op slot dus vraag ik voorzichtig aan mijn vader of hij de auto open kan maken.

'Moet dat nu? We zijn bezig.'

'Ik moest toch voor Nanouk zorgen? Dat zei je toen ik haar kreeg.' Nu kan ik mijn irritatie ook niet meer verbergen.

Mijn vader rukt de sleutels uit zijn zak en gooit ze naar me toe.

'Dank je,' mompel ik.

Nanouk staat al haar lippen aflikkend voor mijn voeten. Ik neem het zakje brokken mee naar een omgezaagde boomstam en voer ze daar aan haar. Er gaat een steek van eenzaamheid door me heen. Ik voel me verloren. Dan komt mijn moeder aangelopen.

'Hé, Liona.'

Ik zeg mat: 'Hoi, mam.'

'Zou je wat voor ons willen doen?' vraagt ze.

'Ja, hoor.'

'Wil je even naar het dorp gaan en daar zeven pizza's halen?'

'Waar?'

'Als je de weg af loopt, kom je vanzelf aan je linkerhand een pizzeria tegen.'

'Is goed. Nog speciale wensen?'

'Nee, kijk maar welke de goedkoopste zijn.'

Mijn moeder geeft me wat geld. Ik pak de riem uit de auto en neem Nanouk mee. Terwijl ik de berg af loop sms ik Juna: HEEY JUUN! NOU, IK LOOP HIER OP EEN OOSTENRIJKSE BERG NAAR EEN PIZZERIA. GROOT EN MOOI HUIS JOH! MAAR WEL EENZAAM ZO ZONDER JOU... FIJN DAT NOUK BIJ ME IS. LEUK DAT IK JE NOG FF ZAG VANMORGEN! VERTEL ME STRAKS ALLES OVER DE NIEUWE BEWONERS, OKÉ? XX LIO Drie minuten later krijg ik alweer een sms'je terug: HÉ LIO! TSSS, EN IK MAAR IN DE REGEN + NATTIGHEID ZITTEN... IK MIS JE NU AL! SERIEUS, IK KOM JE OP-ZOEKEN EN VERTEL JE DAN ALLES! LIEFS JUNA

Ik berg mijn mobiel op en zucht. Er is een leeg gevoel vanbinnen dat er maar niet uit wil, en alleen nog maar sterker is geworden na het sms'je.

Nanouk en ik lopen de berg verder af, volgen de weg en komen inderdaad na twintig minuten een pizzeria tegen. Opeens besef ik dat het geen Nederlander is aan wie ik mijn bestelling moet doorgeven, maar een Oostenrijker! De schrik slaat me om het hart. Wat nu? Het bloed bonst in mijn oren terwijl ik naar de toonbank loop. Oké, Liona: gewoon toepassen wat je op de cursus Duits hebt geleerd. Ik giechel, omdat ik me voorstel hoe al die oudjes in koor een pizza bestellen.

'Sieben Pizza's bitte.'

'Welche Sorte?'

'Eh, einfach Käse und Tomat. Zum mitnehmen.'

'Okay.' De jongen draait zich om en maakt de bestelling in orde.

Zachtjes adem ik weer door en mijn hart komt weer tot rust. Een kwartier later sta ik zeven pizza's zwaarder weer buiten. Nanouk is helemaal door het dolle heen door de lucht die die warme dingen verspreiden. Ik loop snel de berg op, wat me doet hijgen. Gelukkig koelt het aardig af dus kom ik niet helemaal bezweet en zo rood als een tomaat 'thuis' aan.

Ik overhandig mijn moeder het wisselgeld en de pizza's.

'Dank je. Wil jij papa even zijn pizza geven?'

'Ja, hoor.' Hopelijk is hij inmiddels weer wat afgekoeld. Hij houdt net met een rood hoofd een kast vast. Zweet druppelt in straaltjes langs zijn voorhoofd.

'Je pizza, pap.' Hij geeft geen antwoord, blaast alleen maar zijn wangen bol en puft als een bevallende moeder weer uit. 'Pap? Je pizza wordt koud.'

'Ja, hallo! Ik sta hier met een kast. Leg daar maar ergens neer.' Oké, hij is dus nog niet afgekoeld... Opeens verlang ik er zó sterk naar om twee armen om me heen te krijgen. Gewoon, voor eventjes. Maakt niet uit van wie. Maar het gebeurt niet, en dat laat alleen maar een grotere klem op mijn maag achter.

Ik zeg tegen m'n pa: 'Ja, en dan leg ik hem ergens neer en dan sta je er dadelijk in en dan krijg ik het weer op mijn dak.'

Hij kijkt me met een dodelijke blik aan en keert me dan met kast en al de rug toe. Ik leg de pizza op de vensterbank en been het huis uit. Ik klem mijn kiezen op elkaar. Heb het even helemaal gehad, zeg.

Hulpeloos sta ik voor het huis, waar iedereen bezig is. En aan eten moet ik ook helemaal niet denken met die knoop in mijn maag. O, wat heb ik nu zin om een potje te janken... Dan zie ik tegenover ons huis het begin van een bospad, met een wandelbordje.

Ik zeg schor: 'Kom, Nouk. We gaan even wandelen.' Nanouk kijkt me met haar tong op de grond en een scheve kop aan. Ze volgt me als ik erheen loop. Ik zal ook maar niet zeggen dat ik even weg ben, want dan heb ik het helemáál gedaan. En m'n ma kan ik ook nergens vinden. Of nou ja, ik heb gewoon geen zin om haar te zoeken. Ik moet echt even weg. Nu.

Als ik een heel eind op weg ben, sta ik stil met kloppende wangen van de warmte. Ik slik een opkomende huilbui in als ik weer aan mijn pa denk. Juist nu, nu ik even iemand nodig heb, doet hij zo! Tegen mij zegt hij zo vaak dat ik niet zo geïrriteerd moet zijn, en nu doet hij het zelf ook! Hij lijkt wel zo'n puber.

Nanouk kijkt me verbaasd aan, kijkt dan om zich heen en blaft even zachtjes. Ik val om haar nek, maar knuffel haar blijkbaar zó hard dat ze begint te grommen. Fijn, zelfs mijn enige vriendin hier is boos op me! Ik laat haar los en loop zuchtend weer verder over het paadje. Modder plakt tussen mijn tenen, aangezien ik zo stom was om mijn teenslippers aan te houden. Ik stamp bruine dennennaalden omhoog, die dan vervolgens op mijn blote voet vallen en prikken. Door het getril van de grond rennen de rode bosmieren, die hier in groten getale rondlopen, van me weg. Niemand wil me hier hebben, zelfs de mieren niet... Nanouk loopt vlak achter me, geregeld voel ik haar adem tegen mijn been. Gelukkig maar dat ze me volgt, wat zou ik moeten beginnen als ze verdwaalde?

Na een half uur is de spanning redelijk uit mijn buik. Op het stijgende paadje kan ik het er allemaal uit lopen. Nanouk volgt me nog steeds, nu wel op een grotere afstand. Haar tong hangt zowat op de bosgrond.

Ik ben me er niet heel erg van bewust dat het al bijna donker is en dat ik ook nog terug moet. De wandeling doet me zo'n goed, dat ik dat gewoon verdring. Zelfs mijn honger, die ik nu toch begin te voelen, kan het niet verpesten. Ik heb het gevoel dat ik weer helemaal tot mezelf kom. Het geluid van de vogels verdringt mijn gedachten. Opeens merk ik dat het kaler begint te worden. De bomen maken plaats voor grote stukken vlakte. Er liggen stenen in plaats van mierenhopen en het gras wordt ruwer. Nanouk blijft stilstaan, jankt zachtjes.

'Wat heb jij nou? Kom op, joh!' Ik loop een paar passen verder, maar Nanouk blijft nog steeds staan. Ik zucht, sjok naar haar toe om haar op te komen halen, maar ze draait zich om en loopt terug. Ik kijk op mijn horloge.

'Oké dan...' Mopperend loop ik terug. Het is nog zo lekker, dat lopen. Eigenlijk had ik gaandeweg het doel voor ogen gekregen om de top bereiken... Maar met elke stap die ik weer richting thuis zet, word ik er zekerder van dat die hond gelijk heeft. De zon is al niet meer te zien, alleen nog een oranje gloed die steeds minder wordt. Het wordt kouder zo tussen de bomen. Maar snel doorlopen dan.

Opeens hoor ik een plof, bladeren ritselen en er springt een groot beest recht op me af. Nanouk blaft een keer keihard en sprint een stuk naar voren. Ik schreeuw de longen uit mijn lijf. Mijn hart klopt als een razende en ik sta meteen te trillen op mijn benen. Maar het beest, het blijkt een haas te zijn, verandert van koers en springt met hoge sprongen het bos in. Nanouk blijft stokstijf staan. Als ik besef dat het maar een háás was, laat ik mijn adem vrij en lach ik een beetje hysterisch. Tss, een haas... Ik wist niet dat ik zó hard kon schreeuwen! Nanouk kijkt naar me om met haar oren naar voren. Ik geef haar een knuffel omdat ze bij me is gebleven en niet achter het monster aan is gegaan. Snap-pen doe ik het niet. Dan recht ik mijn rug en vervolg mijn weg. Onze weg.

Na een half uur beginnen mijn benen te bibberen, ik moet moeite doen om er controle over te houden. Nanouk lijkt er geen last van te hebben met haar vier poten. Ze is steeds een paar passen verder dan ik en staat dan te wachten totdat ik haar weer heb ingehaald. Hoe lang zou het nog zijn, terug naar huis? Ik kijk op mijn horloge en let niet op waar ik mijn voeten zet. Voor ik het weet lig ik rode mieren te happen op de grond. Er gaat een enorme steek door mijn voet. Mijn been gaat onge-looflijk trillen en ik slaak een kreet, waarna ik zowat mijn lip perforeer. Nanouk weet niet wat haar overkomt, ze rent op me af. Door de tranen die spontaan in mijn ogen springen zie ik dat ze naar mijn handen kijkt die krampachtig mijn enkel vast-houden in de hoop dat ze de pijn kunnen verlichten. Wanhoop begint zich van me meester te maken. Wat nu? Hoe lang is het nog naar beneden? Kan ik überhaupt wel beneden komen met die enkel?

'Nouk, Nouk, haal hulp,' sis ik tussen mijn tanden door. Ze kijkt me aan met de meest onnozele blik die ik ooit heb gezien. Ik schreeuw: 'Stom beest! Haal hulp!' Ze jankt. 'Húlp! H-U-L-P!' Ze springt een pas opzij, in de richting vanwaar we kwamen. 'Hil-fe!' schreeuw ik. Er vliegt een vogel met luid geklapper op uit de boom naast me, maar voor de rest blijft het stil.

Met een grom kom ik overeind. Er gaat een keiharde steek door mijn voet. Het lijkt wel of hij gebroken is. Nog nooit is er in mijn lichaam iets gebroken, maar als het nu zo zou zijn, zou het me niks verbazen. Ik hinkel een paar passen over het hobbelige bospaadje, wat niet zo'n succes is. Op de grond zie ik een stok, die ik opraap om op te steunen. Maar zodra ik dat probeer, lig ik meteen weer op de grond, met een gebroken stuk hout naast me. Het stuk dat ik nog in mijn hand heb smijt ik de bosjes in. Een varen knakt. 'Hilfe!' schreeuw ik nogmaals, zo hard als ik kan, met mijn handen tot vuisten gebald. Nanouk blaft luid. Nog een keer probeer ik wanhopig: 'Haal dan hulp!'

Ze kijkt me met een schuine kop aan. Dan geef ik haar een tik op haar achterwerk. Bij paarden werkt dat ook dus waarom niet bij honden? Nanouk draait een rondje en staat dan weer naar me te kijken met een zwakzinnigenblik. Oké, honden zijn dus niet te vergelijken met paarden... Kreunend kom ik op handen en knieën, strek mijn zere voet achter me uit en kruip zo een eindje verder. Na een paar meter voel ik weer een steek, maar deze keer in mijn knie. Ik ga rechtop zitten en zie dan wat de oorzaak was: een rode bosmier. In een reflex spring ik overeind, waardoor er weer een pijnscheut door mijn voet gaat. 'Rotbeesten!' schreeuw ik uit.

Wild tast ik in mijn broekzak, omdat ik bedenk dat we in een moderne tijd leven met mobieltjes. Ik slaak een zucht van opluchting, mijn redding is nabij. Maar als ik het ding openklap, zie ik dat ik geen bereik heb. Waarom gaat ook altijd álles fout? Scheldend probeer ik nog eens op te staan, ik verbijt de pijn en hink een heel stuk verder. De pijn voel ik steeds minder: alles went, geloof ik.

Na een kwartier kom ik aan bij een tweesprong. Wat nu? Op goed geluk gok ik op het rechterpad, dat me het meest in de richting van ons huis lijkt te gaan. Maar twijfel overvalt me, want ik heb nog nooit kaartgelezen, ben nog nooit in de bushbush gedropt en ken Oostenrijk alleen maar van vakanties. Mét mijn ouders in de buurt. Ik zink moedeloos neer op een omgevallen boomstam en blijf zitten met mijn hoofd in mijn handen. Het is koud en donker. Mijn enkel voel ik kloppen en dik worden. Ik ben radeloos. Huiverend trek ik Nanouk dicht tegen me aan.

# 10

Ik schrik wakker. Meteen gaat er een rilling over heel mijn lichaam heen. Er vliegt krassend een kraai voorbij, en in het zwakke, kille schijnsel van de maan zijn de bomen net enge mannen. Nanouk lijkt wakker gebleven. Haar pupillen zijn groot. In het maanlicht zijn haar ogen net groene lampjes. Ik zou bijna bang van haar worden... Ik slik en hoor dan een stem, nog ver weg. Zou het een verkrachter zijn? Of heb je die alleen in Nederland? Of misschien is het wel een seriemoordenaar! Maar die zijn toch niet actief in het bos? Het zou wel heel goed kunnen dat hij zijn slachtoffer komt begraven of dumpen... Ik spits mijn oren, maar hoor een paar seconden lang alleen maar mijn eigen hart tekeergaan, en Nanouks ademhaling. Ik houd die van mij namelijk in. Maar dan hoor ik duidelijk meerdere stemmen. Mijn hart maakt een sprongetje en ik gil: 'Hilfe! Hilfe! Hier ben ik!'

Nanouk springt op, kijkt wild naar alle kanten met haar oren gespitst. Dan zie ik bundels licht door de bomen schijnen en roept er iemand: 'Wo bist du?'

'Hier, hier!' roep ik met overslaande stem. Ik spring op, verbijt de pijn en hink een eind het pad af, mijn redders tegemoet. Als eerste zie ik een man met een grote lamp. Zou het God zijn? Met de godslamp? Nanouk blaft wild, met hier en daar een grom. Ik hups wild verder, ga bijna weer onderuit, hups een pas verder en val dan écht. Ik lig weer op de koude, vochtige bosgrond.

De man zet de lamp naast me neer en vraagt: 'Bist du Liona?'

Ik hijg: 'Ja, ja.' Tranen van geluk, en misschien ook wel van uitputting, pijn en emotie glijden over mijn wangen.

'Wie geht's?' vraagt hij, terwijl er nog twee andere mannen om me heen komen staan. Nanouk staat dicht tegen me aan, ze is nu tenminste stil omdat ze voelt dat het goede mensen zijn, en geen verkrachters of seriemoordenaars. Ik aai haar over haar poot, bij de rest kan ik niet, omdat ik op mijn buik op de grond lig.

De man die ik als eerste zag, tilt me van de grond en laat me met mijn rug tegen een boom zitten. Ik voel stukjes schors in mijn nek vallen. Een derde persoon – een vrouw – knielt naast me neer, opent een EHBO-doos en kijkt me met een serene glimlach aan. Ik glimlach terug. Ze voelt met koude, slanke handen aan mijn voet. Als ze op mijn enkel duwt, trek ik hem weg van de pijn. Ze concludeert iets, wat vermoedelijk 'gekneusd' betekent. Daarna haalt ze een zwachtel tevoorschijn en windt die langzaam en heel zorgvuldig om mijn voet. Dan maakt ze het verband vast met een klemmetje en knijpt even in mijn been, met weer een glimlach.

'Geht es so besser?' vraagt ze. Ik knik.

Dan pakt de man me bij mijn arm en trekt me overeind. Hij is verrassend sterk, ik hoef amper zelf wat te doen. Een andere man ondersteunt me aan de andere kant en legt een deken over mijn schouders. De lamp wordt weer van de grond gelicht en ze nemen me mee. Niet naar het hol van de leeuw, en ook niet naar de hemel, denk ik met volle overtuiging.

De weg is nog lang, het is echt in het holst van de nacht. De maan staat hoog, het is ijskoud. Er klinken overal bosgeluiden. En elke keer slaat Nanouk aan. 'Sst, Nouk!' zeg ik steeds. Maar ik kan haar niet in haar nekvel grijpen, aangezien er twee 'body-guards' naast me lopen. Ik kan geen kant op. Maar dat hoeft van mij ook niet, want het voelt zo veilig, ook al ken ik deze mensen helemaal niet. Met elke pas tillen ze me een beetje op en slinge-ren ze me subtiel naar voren, net zoals mijn ouders vroeger al-tijd deden terwijl ik kraaide van plezier.

Het bos maakt opeens plaats voor een geasfalteerde weg. Er-gens ken ik hem van. De mannen tillen me zowat de weg over en lopen regelrecht naar een huis. De deur wordt opengedaan en er valt een bundel zacht licht door de opening naar buiten. De mannen helpen me naar binnen. Als we de gang door lopen, zie ik wie de deur net opendeed: een meisje, misschien van mijn leeftijd. Ze draagt haar donkerbruine haar slordig naar achte-ren in een paardenstaart en loopt in zo'n gehaakte trui. Blijk-baar is het meisje de dochter van de vrouw die mijn voet ver-bond, want de vrouw geeft haar een kus op haar haar en een aai over haar wang.

Ik word neergezet in een enorme stoel, het meisje komt al met-een aanlopen met een grote beker warme thee en gaat naast me zitten op een andere stoel. Ik ril nog steeds, ondanks dat het heer-lijk warm is hier in huis. Het vuur schuin rechts knappert ge-zellig en verspreidt een flakkerend zacht oranje licht.

'Drink maar je thee, dat doet je goed,' zegt het meisje zacht in het Duits.

Ik nip van de thee en verbrand mijn hele mond. Met tranen in mijn ogen zeg ik: 'Is het ook goed voor mijn mond?' Ze lacht, en ik lach mee. Ik ben nog nooit zo opgelucht geweest. De vrouw hoor ik ergens in huis bellen.

Het meisje vraagt: 'Hoe heet je?'

'Liona.'

'Van "lion", leeuw op zijn Engels?'

Ik knik. 'En jij?'

'Maria.' Ik knik.

De thee is nu wat beter te drinken. Het is kruidenthee, geloof ik. Het rillen stopt, en ik voel me een heel stuk beter. De warmte van het huis doet me goed, maar ook de warmte van deze mensen. Zo vriendelijk voor een vreemde... Daar kunnen Nederlanders een voorbeeld aan nemen. Nanouk krult zich op aan mijn voeten, maar houdt alles met één open oog in de gaten. Maria knielt bij haar neer. Met slanke handen, zoals van haar moeder, streelt ze Nanouks kop. De hond knippert met haar ogen, waarna ze dichtvallen. Eindelijk heeft zij ook een beetje rust.

Maria vraagt zacht: 'Hoe heet hij?'

'Het is een "zij", en ze heet Nanouk.'

Ze prevelt de naam wat voor zich uit. Het lijkt me een lief meisje. Meteen zie ik Juna voor me. Maria is misschien wel net zo lief als Juna.

Maria's moeder hurkt voor me neer en zegt: 'Je ouders komen zo. Ze kwamen in paniek vanavond bij ons aankloppen, dat je weg was. En of we wilden helpen zoeken. De reddingswerkers van de Alpenvereniging wilden wachten tot morgenochtend, omdat ze dan meer licht hadden.' Ik kan het niet helemaal woordelijk begrijpen, maar de grote lijnen snap ik wel. Het verstaan en het begrijpen gaat in ieder geval beter dan in Nederland op school! 'Dus zijn wij jou gaan zoeken, aangezien wij hier al twintig jaar wonen en het bos goed kennen.'

Ik glimlach, zo goed en zo kwaad als dat gaat met mijn stijve kaken van de kou: 'Bedankt, heel erg bedankt.'

De vrouw knijpt even in mijn knie en staat dan op.

'Tschüss!' wordt er opeens geroepen. Ik draai me om voor zover dat gaat, omdat er weer een steek door mijn voet schiet. De man die me links ondersteunde, zwaait en verlaat de kamer.

'Danke!' roep ik en zwaai. Nanouk springt op, blaft een paar keer en gaat dan weer liggen.

Een paar minuten later gaat de deur weer open en stormt er een bezorgde moeder de kamer in. Ze gilt zowat: 'Liona!'

Over haar schouder trek ik een gezicht naar Maria, die giechelt. Dan komt er een overbezorgde vader de kamer in rennen, die zich ook op ons stort.

'Waar was je?!' roept hij uit, met een mengeling van bezorgdheid en kwaadheid. Mijn moeder laat me los en kijkt meteen naar mijn enkel.

'Ik was even een blokje om,' zeg ik zo nuchter mogelijk.

'Een blokje om?!' Zijn stem buldert door het net nog zo stille huis.

'Ja, dat kost hier geen twee minuten, aangezien je nogal wat bomen moet omzeilen voor een blokje om.' Maria giechelt nog meer achter haar hand. Ik vraag me af of ze Nederlands verstaat of dat ze alleen maar giechelt omdat mijn ouders zo bezorgd zijn.

'Dat doe je nooit meer, oké? We waren hartstikke ongerust. Hier komt de politie je niet thuisbrengen met de politiewagen...' Relax!

De moeder van Maria legt geruststellend een hand op de arm van mijn pa, die zijn opgeheven vinger laat zakken en zucht. Mijn moeder voelt voorzichtig aan mijn opgezette enkel en vraagt: 'Hoe gaat het ermee? Doet het veel pijn?'

'Nu niet meer zo. Maria's moeder heeft het goed ingezwach-teld.' Ik werp haar een dankbare blik toe. Ze knikt vriendelijk. 'Willen jullie wat drinken?' vraagt ze.

'Ze hebben hier heel lekkere thee,' zeg ik, kijkend naar de nog warme beker in mijn handen.

Mijn moeder schudt haar hoofd. 'Nee, we gaan maar weer eens naar huis.' Huis, denk ik opeens weer smalend. Ik zucht, sla de deken van me af en sta op, waarna ik meteen weer met een van pijn vertrokken gezicht in de stoel neerzak.

'Gaat het?' vraagt Maria meteen, nadat ze is opgesprongen en mijn arm vastgrijpt.

'Ja, hoor.'

Mijn vader ondersteunt me, samen met de vader van Maria. Ik bedank haar ouders nogmaals, waarop ze antwoorden dat het graag gedaan is en dat ik best nog eens vaker een kopje krui-denthee mag komen drinken. Maar liever niet meer midden in de nacht... Maria zwaait ons uit als haar vader en mijn vader me ondersteunen op de weg naar huis.

We lopen de weg een eindje terug, en ik besef nu pas dat het buren van ons zijn. Ik kijk eens goed opzij: naast me loopt een rasechte Oostenrijker. Met bergschoenen, bruin haar, gespierd lijf en een klein bierbuikje. Bijna gaat hij onderuit op het slechte pad bij ons huis. 'Scheisse!' scheldt hij zachtjes, en verontschuldigt zich meteen weer. Maar het geeft niet. Hij is aardig. Maria boft maar met zo'n vader. En ik bof maar met zo'n buurman. En met zo'n buurmeisje! Misschien zeg ik binnenkort wel 'vriendin'...

De mannen tillen me zo'n beetje over de drempel heen. En dan staan we in ons kille en kale huis. Wat een contrast met het ge-zellige en warme huis van de buren! Mijn vader groet de buurman, die een klein beleefd knikje maakt en dan met een zwaai van zijn grote hand verdwijnt.

De volgende ochtend zit ik voor ons huis in de zon. Steentjes van onze voortuin prikken door het karton heen van de verhuisdoos waar ik op zit. Ik volg met mijn ogen een bij die met een laag gebrom zigzaggend de lucht onveilig maakt. Maar dan wordt mijn aandacht van de bij afgeleid omdat Maria onze tuin in komt lopen.

'Hallo. Is het goed als ik er even bij kom zitten?' vraagt ze. Even vertwijfeld om wat ze nou bedoelde, knik ik dan toch maar. Ze ploft gewoon naast me neer op de grond, dus zonder kartonnetje. 'Hoe is het hier?'

Ik antwoord: 'Goed.' Van die lange zinnen maken, is toch nog lastig.

'Hoe gaat het met je voet?'

'Beter dan gisteravond.'

Ze lacht kort, met een heel hoog geluid. We praten wat over het een en ander. Echt soepel gaat het nog niet, maar we kunnen tenminste wel elkaar dingen duidelijk maken, en dat is toch heel wat.

Mijn ouders komen voorbij. Mijn pa zegt: 'Ik heb net een gesprek geregeld bij de realschule hier beneden in het stadje. We hadden je in onze regelvakantie al aangemeld, dus met één telefoontje was het voor de bakker!' Hij kijkt er verschrikkelijk triomfantelijk bij. 'Nu kom je pas echt in aanraking met Oostenrijk. Het schooljaar begint over ruim drie weken, vandaar dat we morgen een kennismakingsgesprek hebben daar. Het kan niet vroeg genoeg geregeld zijn. Het bestuur is al begonnen met het nieuwe schooljaar. Trouwens, we gaan ons nu even inschrijven in de gemeente. Wil je mee?' Die laatste paar zinnen zegt hij in het Duits, zodat Maria er ook op kan reageren.

Ik kijk Maria aan. 'Ik wil wel mee,' zegt ze, 'dan kan ik jullie het stadje laten zien.'

Onhandig stap ik in de auto, waar nog allemaal rotzooi ligt van de reis. Maria gaat naast me zitten, waarna we naar het uit de kluiten gewassen dorp rijden. Het is er stil, ik vraag me af waarom. Je ziet echt haast niemand. Zou het altijd zo zijn? Gezellig...

Mijn vader parkeert bij het gemeentehuis, dat midden in het dorp ligt. Maria stapt uit en loopt meteen naar mijn portier om me uit de auto helpen, wat zonder hulp nogal onmogelijk is met die verdomde voet. Verdorie, ik lijk wel een oud omaatje! Maria ondersteunt me en zo strompelen we de straat over. Mijn ouders verdwijnen ondertussen in het gemeentehuis.

'Zullen we daar even naartoe gaan?' vraagt Maria, wijzend op een klein winkeltje. 'Gaat dat met je voet?'

Ik wil me niet gedragen als een zielenpoot, dus stem ik in.

Maria loodst me ernaartoe. Het blijkt een klein supermarktje te zijn. Waarschijnlijk met zo weinig omzet dat ze niet eens huismerk-sop kunnen betalen, want ik zie de spinnenwebben in de etalageruit hangen. Op het openingsbordje staat dat ze alleen de ochtenden open zijn, en het is nu al middag. Nu ik eenmaal loop, gaat het best goed met mijn enkel. Niet slechter dan wanneer ik maar zielig thuis zou zitten. We lopen verder. In de straat staat een vrij verlaten hotel, een vervallen bushalte en wat huizen. Verder is er niks te beleven: geen disco, geen terrasje, geen kledingzaakje. Wat zouden leeftijdsgenoten hier doen in hun vrije tijd? Achter de koeien aanrennen in het weiland...?

'De kerk. Zullen we even een kaarsje opsteken?' vraagt Maria terwijl ze naar een wit kerkje met een slanke toren wijst.

'Goed.' Zonder uit te kijken of er een auto aankomt, omdat er toch geen auto's zijn, steken we de straat over en lopen we langs het kerkhof richting de kerk. Er staan grote gietijzeren kruizen. Best imposant.

Even later staan we binnen in de koelte en schemer van het rustige kerkje. Ik kijk omhoog en om me heen. Er hangt een Jezus aan een groot houten kruis achter het altaar. Door de glas-in-loodramen komt gekleurd en vrolijk licht naar binnen. In Nederland kwam ik eigenlijk nooit in kerken, omdat ik niet gelovig ben. Ik draai me om terwijl Maria een waxinelichtje aansteekt en neerzet op een rekje links naast het altaar. Achter in de kerk, net naast de enorme houten deur, hangen schilderijen van Jezus met het kruis. Ik loop erheen en bekijk ze. Sinds het eerste prentenboek dat ik in handen had, hou ik al van plaatjes kijken. Meer zelfs dan van lezen. Misschien ben ik wel lui, of misschien is het gewoon de aantrekkingskracht die tekeningen op me hebben. Maria komt naast me staan en zegt zachtjes: 'Mooi, hè?'

Ik knik.

'Geloof jij?' vraagt ze dan.

'Nee. Jij wel, toch?'

'Ja.' We gaan naar buiten en zinken neer op het harde houten bankje voor het kerkje. 'Geloven is echt heel fijn, hoor.'

'Ja? Waarom?'

'Het geeft je vertrouwen en hoop.'

Ik knik, weet niet goed wat ik daarop moet zeggen. Ik kan het Duits wel redelijk verstaan, maar spreken is moeilijk. Al begin ik wel te wennen aan de taal. Na al geformuleerd te hebben in mijn hoofd wat ik wil zeggen, vraag ik: 'Met wie heb je meer, met God of met Jezus?'

'Met God.'

'Waarom?'

'Tja... Ik ben meer aangetrokken tot de mystiek rondom Hem.'

'Oké.' We zitten even zwijgend naast elkaar. Ik sluit mijn ogen en voel de warmte van de zon op mijn huid. Dan knerst het grind van het pad dat naar het kerkje leidt, en staan mijn ouders opeens voor mijn neus.

'Wat zitten jullie hier lekker!' glimlacht mijn moeder.

Ik antwoord met half dichtgeknepen ogen tegen de zon: 'Ja, hè?'

'Nou, we zijn nu volwaardige inwoners van dit dorp!' zegt mijn vader triomfantelijk, terwijl hij met een bewijs zwaait. Hij zegt het in het Duits, aangezien het niet netjes is om in je eigen taal te praten als er iemand anders bij zit die dat niet kan verstaan.

Maria staat op en geeft hem een hand. 'Gefeliciteerd. Welkom!' Mijn moeder is natuurlijk weer ontroerd en zoent haar op haar wangen. Als laatste omhelst Maria mij, en fluistert: 'Jij ook welkom!'

'En we hebben ons laten registreren als Pension für Spaziergänger und Radfahrer.' De trots druipt gewoon van zijn gezicht af. Mijn moeder staat er ook al bij te grijnzen.

'Een pension!' roept Maria uit. 'Dat hadden we hier nog niet! O, mag ik helpen?'

Mijn moeder lacht: 'Natuurlijk! Dan kunnen jullie samen als schoonmaaksters aan de slag, of zoiets.' En dan kijkt ze me ook nog zo aan. Tss, ze weet niet eens of ik het wel wil! Maar Maria kijkt me aan met een lach van oor tot oor. Ik kan er niet meer omheen. 'Oké,' zeg ik met een zucht.

Maria roept enthousiast uit: 'Leuk!'

# 11

Ik kijk die avond uit het raam. Ik zie nog net de contouren van de donkere reuzen in het schijnsel van de maan, die als een gehavend wit ontbijtbord in de nachtblauwe lucht hangt. Mijn blik dwaalt naar beneden, naar het dorp. Op het kerkhof is bij elk graf een windlichtje aangestoken. Omdat de kaarsjes in een rood potje zitten, zijn er wel honderd rode flakkerende puntjes te zien. Het ziet er zo... mystiek uit. Net wat Maria zei over God. Best bijzonder en eervol dat ze dat hier doen voor de doden. Wat een werk trouwens... Ik grinnik in mezelf: 'Wat doe je voor werk?' 'Ik ben kaarsjesaansteker.'

Dan scheur ik mijn blik los van al die rode lichtjes en schuif er de gordijnen voor. 'Poppetje gezien, kastje dicht,' zeg ik in mezelf, terwijl ik Nanouk een stevige zoen op haar hoofd geef. Er plakken wat witte hondenharen aan mijn lippen. Ik richt mijn nachtkastje een beetje in met wat spulletjes uit een verhuisdoos. Gek om te bedenken dat deze spulletjes eerst in Nederland in mijn kastje stonden. Voorzichtig, om de herinnering niet te breken, zet ik een fotolijstje neer, dat ik op het afscheidsfeestje heb gehad. Ik sta er even naar te kijken. Dan draai ik me resoluut om en loop naar mijn gammele bureau. Mijn vader had namelijk de schroevendraaier steeds in gebruik waardoor ik mijn bureau niet stevig kon maken. Ik start mijn laptop op, ga op het krukje voor mijn bureau zitten en check mijn mail. Er is een berichtje van Juna. Mijn hart maakt een sprongetje. Ik mis haar, hoewel Maria ook een goede vriendin aan het worden is. Jammer dat de Duitse taal nog een beetje in de weg zit.

*Heey Leeuwtje!*

*Hoest daar in 't verre land? Ik mis je nog steeds hoor! En Michiel ook zo te horen, want hij zeurt me de oren van het hoofd. Hij heeft echt spijt dat hij je niet eerder heeft opgezocht, volgens mij. Tja, had ie dat maar eerder moeten bedenken, hè?*
*Hier zijn de scholen alweer twee weken bezig. Jij bóft maar, dat je nog niet naar school hoeft! Ik wil je echt zó graag weer eens zien! Ik moet je écht iets vertellen... Kunnen we niet iets regelen? Over een week hebben we een projectweek, waarin we allemaal workshops volgen om te vieren dat de school 25 jaar bestaat. Ik kan best wegblijven als je zou komen, het is toch niet boeiend.*

*xxxx Juun*

Glimlachend mail ik terug:

*Haai Juuntje,*

*Ben je de wind, de regen en het grauwe weer daar in Holland al zat?!*
*Ha ha, ik heb nog geen grijze lucht gezien hoor!*
*Tja, moest Michiel maar eerder laten merken dat ie me leuk vond, hè? Eigen schuld, dikke bult.*
*Ik zal wel ff kijken of ik iets kan regelen. Ik hoef pas over ruim drie*

*weken te beginnen op school, dus ik heb nog wel tijd om naar jou te*
*komen! Dus het kan dan, volgende week?*

*Greetz...*
*Liona*

De ochtend nadat ik het mailtje van Juna heb gekregen, ben ik
pas laat wakker. De zon heeft mijn kamer tot een sauna gemaakt,
want ze staat precies voor mijn raam. Ik strijk mijn haar uit mijn
ogen, er zitten allemaal klitten in. Ik ga op zoek naar mijn borstel, maar kan hem nergens vinden. Het is ook nog zo'n zooitje
overal...

Voorzichtig sjok ik de trap af, met Nanouk achter me aan. Het
gaat gelukkig alweer een stuk beter met mijn enkel. Ik loop de
woonkamer in, maar daar zijn mijn ouders niet, zodat ik niet kan
vragen of ze mijn borstel hebben gezien. Vervolgens slenter ik
maar naar de keuken en strooi wat brokken in de bak van
Nanouk. Opeens word ik me bewust van geluiden achter de deur
in de hoek van de woonkamer. Nog voordat ik de deur open kan
duwen, stoot ik mijn teen tegen een verhuisdoos met spullen van
Nanouk. Ze komt meteen aangedribbeld en duwt haar kop over
de rand van de doos. Ik pak er een knuffel uit en gooi hem de kamer in. Dan zie ik de borstel van Nanouk liggen. Wel ja, die kan
ook best dienstdoen voor mijn haren. Al borstelend open ik de
deur. Erachter staat mijn moeder met een zeem voor mijn neus.

Ze begroet me vrolijk. 'O, hoi. Goedemorgen.'

'Hoi. Wat doen jullie?' zeg ik, terwijl ik met een pijnlijk gezicht de borstel door mijn haar trek.

'We zijn de hoofdingang van het pension aan het klaarmaken

voor gebruik. Vanmiddag komt een schilder om de naam op de gevel te zetten.'

Ik kijk langs mijn moeder heen en zie dat mijn vader aan het schilderen is. 'Waarom schildert pap het niet?' vraag ik terwijl ik de borstel laat zakken en aan de haren pluk die erin zijn blijven hangen.

'Dat kan je niet aan hem overlaten,' fluistert mijn moeder.

Ik roep met een grijns: 'Hoor je dat, pap?!'

'Wat?' Er zit een hele veeg witsel over zijn neus.

'Laat maar.' Ik keer me om en roep Nanouk terug die bijna onder de ladder door loopt, wat ongeluk brengt. Dan herinner ik me het mailtje van Juna. 'Mam? Mag ik naar Juna toe?'

'Nu?' vraagt ze.

Ik antwoord geërgerd: 'Nee, natuurlijk niet nú! Misschien over een week of zo?'

Mijn moeder trekt een bedenkelijk gezicht, waardoor ze op Eucalipta lijkt.

'Leuk idee,' zegt mijn vader.

Dan zucht ze en zegt: 'Oké dan. Maar dan moet je het wel zelf allemaal regelen, want wij hebben daar nu geen tijd voor.'

De volgende morgen lopen we met zijn drieën het verlaten schoolplein van de realschule over. Het is nog opmerkelijk schoon. Er schuift een beeld van mijn oude school voor mijn ogen, met een plein vol peuken, afval en mensen. Ik keer weer terug in het nu. Je hebt hier op het plein wel een veel mooier uitzicht dan in Nederland, waar mijn school omgeven was door gebouwen. Ik laat mijn ogen over de bergen glijden, die me aan alle kanten omringen. Opeens zie ik mezelf in gedachten over het schoolplein lopen met tas. Ik huiver. Het wordt nu allemaal zo écht... Eerst was het alleen nog maar een plan.

Na ons gemeld te hebben bij de balie lopen we de aula door naar het kamertje van de directeur. Mijn vader schraapt zijn keel en klopt dan aarzelend op de deur.

We horen voetstappen op hout en dan gaat de deur open. We staan met zijn drieën in een breed lachend directeurengezicht met bril te kijken. 'Hallo, kommt mal rein!'

Hij grijpt mijn vaders hand, schudt die hardhandig en trekt mijn vader naar binnen. Daarna mijn moeder en daarna ben ik aan de beurt. Zijn handen zijn een beetje bedekt met haar. Dat zie ik als hij naar de stoelen voor zijn enorme houten bureau wijst. Ik kijk verbaasd om me heen naar alle opgezette dieren die aan de muur hangen

'Mooi zijn ze, hè?' vraagt de man met een grote lach. 'Ik heb ze zelf geschoten. Vroeger was ik jager, zie je?'

Ik knik maar een beetje. Wat moet ik anders? Als hij zich met een tevreden gezicht in de grote directeursstoel heeft laten zakken, gaat hij over tot de orde van de dag, die ik met een lichte klem op mijn maag aanhoor. Mijn moeder legt haar hand op de mijne, waardoor ik me er ineens van bewust word dat ik krampachtig de armleuningen van de stoel vastheb. Mijn knokkels zijn er wit van.

'Zo, dus jullie zijn Nederlanders?' We knikken allemaal.

'Maar niet meer voor lang, als het aan ons ligt,' antwoordt mijn vader.

Ik floep eruit: 'Als het aan júllie ligt.'

De directeur lacht luid. Hij doet me opeens denken aan de Kerstman: met zijn kleine baard die al wit begint te worden en met zijn hand op zijn schuddende buik lacht hij voluit. 'Dus jij ziet het allemaal niet zo zitten?' Ik schud ietwat verlegen mijn hoofd. 'O, maar op deze school krijg je het helemaal naar je zin. Vertrouw maar op ons.' Hij voegt er met een dikke opgeheven bratwurstvinger aan toe: 'Vertrouwen, Liona, is de basis.'

Dan pakt hij er een dossier bij en legt het een en ander uit, geeft wat informatie over de vorm van lesgeven hier in Oostenrijk en biedt ons dan een rondleiding aan.

'Ja, is goed,' knik ik met een brok in mijn keel.

Even later lopen we in ganzenpas achter de dikke directeur aan. Steeds houdt hij stil bij iets dat hij wil laten zien. De wc's bijvoorbeeld. Echt heel handig. Het valt me op dat alles van hout is. Houten deuren, houten planken op de muren, houten stoelen... Ik vraag me af of de wc ook van hout is, wat ik me haast niet voor kan stellen. Als je dan je grote boodschap aan het doen bent moet je het steeds onderbreken omdat je een splinter uit je achterste moet halen. Maar door al dat hout ruikt het een beetje naar bos in het gebouw. Het ziet er allemaal veel frisser uit dan in Nederland op school. Daar is alles van plastic of beton. Alles grijs. Maar hier dus niet. De klem op mijn maag wordt eindelijk wat minder strak.

We lopen iedere keer in de zon die door de hoge ramen naar binnen schijnt.

De directeur houdt zijn pas in en komt naast me lopen. Hij is een stuk groter en dikker dan ik, ik moet mijn hoofd in mijn nek leggen om hem aan te kunnen kijken. 'Ken je hier al iemand?' vraagt hij.

'Ja, Maria Unterreiner. Ze is mijn buurmeisje.'

'O, die zit hier ook op school!' roept hij uit.

'Fijn dat je tenminste al iemand kent. Dan is niet alles zo nieuw.'

Ik knik.

Na anderhalf uur binnen geweest te zijn, stappen we weer de buitenlucht in. Die school, die is wel oké.

Een kleine week later sta ik met mijn koffers in de garderobe van het pension. Er komt trouwens ook een eetcafeetje in. Het is opeens heel hard gegaan: er staan stoelen met tafeltjes in, de balie is opgepoetst, de muren zijn gewit en op de gevel is in krullerige letters 'Waldblick, Pension für Spaziergänger und Radfahrer' geschreven.

Ik kijk om me heen. 'Het is echt mooi geworden.' En dat meen ik.

Mijn vader knikt trots met zijn handen in zijn zij. Dan pak ik mijn tas en koffer op en draag ze naar de auto. Ik geef Nanouk een geweldige knuffel, waar ze het voor de rest van de week mee moet doen.

'Je past wel goed op haar, hè?' vraag ik nog even aan mijn moeder.

'Tuurlijk!' Dan trek ik de deur dicht met Nanouk erachter. Ze jankt. Ik slik mijn tranen weg, ik heb haar nog nooit alleen gelaten! O, wat voel ik me nu slecht. Ik kan er niks aan doen. Maar ik weet dat mijn ouders goed op haar zullen passen. Dan stap ik in de auto en rijden we naar het station.

Na een kwartier zijn we bij de Bahnhof aangekomen. De trein naar Nederland staat er al, dus ik neem vlug afscheid van pa en ma en stap al zwaaiend in. Yes, eindelijk van ze verlost... grijns ik in mezelf. Maar dan zie ik Nanouk voor me en wil bijna weer terug!

Na vijftien uur in de zenuwen en de stress gezeten te hebben door de zes overstappen, kom ik aan op het station waar Juna en haar moeder al staan te wachten. Ze zwaaien enthousiast naar me met een groot doek waar 'welkom weer' op staat. Het is het vlekkerige handschrift van Juna. Ik glimlach bij het gevoel van thuiskomen, en bij het zien van mijn oer-Hollandse vriendin in het oer-Hollandse landschap. Ik vlieg ze meteen om de hals als de trein stilstaat en ik eruit ben gesprongen met mijn bagage.

'Welkom weer, joh!' roept Juna in mijn oor.

En op mijn beurt roep ik in haar oor: 'Dank je wel, joh!'

Ook Juna's moeder Fien is overenthousiast. Ze pinkt een traantje weg en wrijft me over mijn rug. Juna neemt mijn rugzak over die ik nu wel zat ben na zes overstappen. Mijn arm is zowat uit de kom...

Als we in de auto zitten, kunnen we alleen maar glimlachen naar elkaar, waardoor ik nogal stijve, zere kaken krijg... Juna vraagt daardoor niet zo veel, het is vooral Fien die ik hoor. Het voelt weer zo fijn om hen, en dan vooral Juna, te zien. We rijden de straat door, die een beetje schemerig begint te worden. De straatlantaarns zijn aan, het is ook al negen uur. Ik zit tegen het raampje geplakt als we langs mijn oude huis rijden.

Juna vraagt: 'Hoe voelt dat nou?'

'Best wel gek,' zeg ik, terwijl de ruit beslaat door mijn adem. Ik veeg het weg en ik zie dat we ons oude huis alweer voorbijgereden zijn.

De volgende morgen ben ik iets aan de late kant wakker. Het is tien uur. Ik kijk slaperig om me heen, waarna ik in een bobbel in de deken van Juna prik. Maar zij is de bobbel niet. Ik sta op, schiet in mijn kleren en loop naar beneden.

Daar staat Fien in de keuken. 'Goedemorgen, schone slaapster!'
Ik ga automatisch met mijn hand door mijn klitterige haar.
'Goedemorgen!' Ik kijk om me heen. 'Waar is Juna?'

'O, ze zal wel buiten zitten te bellen met Jozua.'

'Jozua?' vraag ik, niet-begrijpend.

Fien draait zich om en kijkt me verbaasd aan. 'Heb je dan nog niet gehoord dat Juna een vriendje heeft?'

'Een vriendje?!' Nou begrijp ik er echt helemaal niks meer van. Of wacht, ze schreef wel in haar mailtje dat ze me iets moest vertellen...

'Ja, Juna heeft een vriendje. Pas sinds twee weken hoor, maar ze zijn zowat onafscheidelijk. Iedere ochtend, middag en avond bellen ze elkaar, als ze niet bij elkaar zijn dan. Wat gek dat ze je niks heeft verteld!'

'Ja...'

Ik loop door de open schuifpui de tuin in, waar Juna inderdaad met haar rug naar me toe in de schommelbank zit te bellen. Als ik vlak bij haar ben, draait ze zich om en zegt snel in de hoorn: 'Ik moet gaan, schatje. Liona is wakker. Daar had ik je toch over verteld?' Ze is even stil, waardoor ik iemand aan de andere kant van de lijn hoor praten. Dan zegt ze: 'Ik moet echt hangen. Doei!' Ze drukt de telefoon uit en ik ga naast haar zitten op de krakende schommelbank.

'Wat? Heb je een vriendje?' zeg ik met een big smile. Juna knikt verlegen. 'Vertel!'

'Nou, toen jij weg was en ik me niet meer op jou kon concentreren, zag ik opeens dat Jozua, die jongen uit de vijfde, steeds naar me keek. Dus op een gegeven moment ben ik naar hem toe gegaan omdat ik in de pauze toch niet met jou kon beppen. En

toen spraken we een paar keer af en uiteindelijk vroeg hij verkering aan me.'

'Echt?!'

'Ja.' Ze straalt van oor tot oor.

'Wat leuk voor je!' Ik omhels haar. Gelukkig is ze toch niet zo
in een gat gevallen nu ik weg ben. Dan roept Fien dat we kunnen ontbijten. Terwijl we naar het huis lopen, vraag ik: 'Maar
waarom heb je het me dan niet verteld?'

'Nou, omdat ik daar gewoon geen tijd voor heb!' roept Juna uit.
'Maar ik vond het ook wel leuker om het je in het echt te vertellen,' voegt ze er snel aan toe.

Ik heb de laatste hap bruine boterham met hagelslag (heerlijk,
dat oer-Hollandse eten!) amper doorgeslikt als de bel gaat. Juna
springt meteen op.

Fien roept haar na: 'Jozua zou toch niet komen nu Liona er is?'

'Ik heb het wel tegen hem gezegd!' roept Juna vanuit de gang.

Ik hoor de deur opengaan en na een eeuwigheid waarin ik helemaal niks hoor loop ik maar naar de gang. Daar staan ze hoor:
kleine Juna en grote Jozua in een innige omhelzing met verfris-
sende tongzoen. Ik kuch. Juna wringt zich los uit de sterke armen van haar prins en Jozua doet zijn ogen weer open en keert
uit de zevende hemel terug naar de aarde.

'Dit is Liona, Jo.'

'Hoi,' zegt hij, en geeft me een hand. Het is een vrij gespierde
jongen met groene ogen en donkerblonde stekels.

'Hallo.' Automatisch zeg ik het op zijn Duits, met een mooie
ronde 'o'.

'Maar ik zei toch dat je weg moest blijven omdat Liona er nu
is,' zegt Juna tegen de reus voor haar, terwijl ze zachtjes met haar

handen tegen zijn borst duwt. Jozua buigt zich naar haar toe en fluistert: 'Ik kan toch niet zonder jou...'

Juna houdt even haar hoofd schuin en keert zich dan naar mij: 'Vind je het heel erg als hij blijft?'

'Nee, hoor.' Maar eigenlijk meen ik dat niet. Juna heeft dan maar half aandacht voor mij. Ik weet precies hoe dat gaat met verliefde mensen. En Juna ziet Jozua nog heel wat vaker dan mij, ik ga over een kleine week weer weg. Jozua kan Juna dan nog iedere dag zien.

Ze verdwijnen de tuin in. Fien ruimt alleen af, wat ik best sneu vind. Ik help haar even.

'Dat vind ik nou niet leuk van Juna,' zegt ze.

'Wat?'

'Dat ze Jozua binnenlaat. Ze moet er nu voor jou zijn.'

'Ach... Zo gaat dat hè, met verliefde mensen...' zeg ik. In mezelf voeg ik eraan toe: maar wel erg jammer, ja.

Na het afruimen en de afwas weet ik niet zo goed wat ik moet doen. Ik loop maar naar de tortelduifjes die verstrengeld op de schommelbank hangen. Als Juna mij ziet, komt ze half overeind, maar ze wordt meteen weer omvergetrokken door Jozua.

'Kom erbij!' roept Juna met een glimlach, en ze strekt haar arm uit. Een beetje ongemakkelijk wring ik me op de bank.

'Heb jij al iemand op het oog?' vraagt Juna me.

'Als je een jongen bedoelt: nee.'

'Nee, daar lopen natuurlijk allemaal boerenpummels rond,' grinnikt Jozua.

Ik roep verontwaardigd uit: 'Echt niet!' Nou schiet ik ook nog in de verdediging voor 'mijn' land...

'Waarom heb je er dan nog geen?' vraagt hij met een scheve

lach, en voor de verandering zoent hij Juna nog maar eens. Terwijl ik strak voor me uit kijk haal ik mijn schouders op. Als ik weer opzij kijk ligt Jozua zowat op Juna. Zuchtend draai ik mijn ogen weg. Wat moet ik hier nou mee? Ik bijt op mijn lip. Juna kijkt me vanonder haar 'belager' aan en trekt haar wenkbrauwen op. Alsof ze wil zeggen: Sorry, ik kan er niks aan doen.

Ik knik naar haar, om te zeggen: Ik snap het wel. Dan sta ik op en laat het stelletje rustig zoenen. Ze zullen straks wel uitgezoend zijn, hoop ik. Ik loop naar binnen.

'Kan ik wat voor je doen, Fien?' vraag ik.

'Nee, meisje.' Ze ziet dat ik er een beetje hulpeloos bij sta.

Opeens duikt mijn oude huis op in mijn gedachten, omdat de keuken van Fien heel erg lijkt op onze oude keuken. Ik kan opeens de drang niet weerstaan om er even te gaan kijken, al is het alleen maar door het keukenraam. 'Is het goed als ik even naar mijn oude huis ga?' vraag ik.

'Ja, moet je doen! Wat een goed idee. In de tussentijd haal ik die twee wel uit elkaar.' Ze zwaait met haar hoofd in de richting van de tuin. 'Pak de fiets van Juna maar.'

Even later rijd ik de bekende straat in. Ik fiets steeds langzamer. Kan ik het wel maken om bij mijn oude huis aan te bellen? Ach, ik moet niet zeuren. Het is sowieso geweldig om weer eens in mijn eigen taal te kunnen kwekken met iemand, en dat ik niet steeds hoef na te denken over hóé ik het moet zeggen. Ik gooi uit gewoonte de fiets tegen de schuur, maar raap hem dan meteen weer op omdat ik besef dat het mijn huis niet meer is. Met kloppend hart bel ik aan. Na een paar seconden doet een hippe vrouw van in de dertig de deur open. Ze heeft haar haar in een paardenstaart en glimlacht als ze me ziet.

'Uh, ik ben de vroegere bewoonster...' begin ik.

Even kijkt ze me verbaasd aan. Dan lacht ze haar parelwitte tanden bloot. 'O, grappig zeg!'

'Ik vroeg me af of ik even mocht kijken.'

'Ja, natuurlijk! Kom binnen. Ik ben Jona.' Ze stapt opzij en gebaart dat ik door mag lopen.

'En ik ben Liona.' Ik geef haar een hand en loop daarna door. In het huis hangt een warme sfeer, dat merk ik nu al. De lucht van wierook zweeft me tegemoet als ik de huiskamerdeur opendoe. Ik duw mijn herinneringen weg, want anders ga ik janken. Dat weet ik nu al.

Jona vraagt bedenkelijk: 'Vind je het erg dat ik wierook brand?'

'Nee, helemaal niet,' antwoord ik, met dichtgeklapte stembanden van de zwoele geur. Ik kijk rond: het is knus, met hout en fleurige schilderijen. Ergens heeft het wel iets weg van onze Oostenrijkse kamer.

'Hoe vind je het?' vraagt ze met een brede glimlach. Je kan wel zien dat ze blij is met ons, eh... ex-huis.

Ik knik. 'Mooi.'

'Wil je wat drinken?' Jona gebaart naar de ruwhouten keukentafel.

'Ja, graag.' Ik schuif de stoel naar achteren die een krassend geluid maakt over de – hoe verrassend ook – houten vloer. Hij kraakt als ik erop ga zitten. Kijk, in Oostenrijk zijn ze zo gewend om met hout te werken dat ze inmiddels geruisloze meubels maken.

'Mag ik je verrassen met het drinken?'

'Ja, waarom niet?' Ik kijk nog eens goed rond en hoor dan een kabbelend beekje met vogeltjes. Verbaasd spits ik mijn oren.

Beekje? Vogeltjes? We zijn toch niet in Oostenrijk? Maar dan merk ik de cd-speler in de hoek van de kamer op, en dat is precies waar het geluid vandaan komt. Ik kijk rond, zie onze inrichting weer voor me. Ik moet eerlijk zeggen dat ik deze inrichting heel wat beter vind dan die van ons vroeger. Ons huis is goed terechtgekomen, bedenk ik tevreden. Dat maakt het ook allemaal wat makkelijker.

Even later zet Jona twee vazen met wit spul erin op tafel. Ze kleuren mooi bij de tafel. Maar wat is het? Ik buig me dieper naar het glas om het te bestuderen.

'Het is sojamelk,' zegt Jona. 'Heel gezond.' Ze neemt een teug.

Ik wacht eerst af of ze niet van haar stoel valt. Maar nee, dat is niet het geval, dus moet ik me er ook maar aan wagen. Ik nip van de melk. De smaak kan ik niet beschrijven, maar het is wel lekker.

'Hoe bevalt het in...?'

Ik maak haar zin af. 'Oostenrijk. Ja, gaat wel. Het is niet zoals in Nederland.'

'Nee, anders zouden jullie ook niet weg zijn gegaan, neem ik aan.'

Ik knik, terwijl ik de witte snor van de melk weglik.

'Ik ben vroeger ook vaak in Oostenrijk geweest. Geweldig land, hè?'

'Ja, dat is het op zich wel...'

'Maar...?'

'Nou ja, om er op vakantie te gaan is heel wat anders dan om er te wonen.'

'Ja, dat kan ik me wel voorstellen.'

Opeens klinkt er een miauw. Ik kijk verrast naar beneden,

waar een oranje kat me met groene ogen staat aan te staren. De kat miauwt nog een keer, en ontbloot daarbij haar kleine roofdiertandjes. Ik schuif met stoel en al naar achteren, waarna de kat dankbaar op mijn schoot springt.

'Hij heet Mio,' zegt Jona. O, ik ging ervan uit dat het een vrouwtje was. Ik denk omdat Nanouk ook een 'zij' is, dan praat je over andere huidieren uit gewoonte ook zo.

'O, wat een lieverd ben jij!' Ik aai het diertje over zijn fluweelzachte rug. 'En je bent ook zo zacht, veel zachter dan Nanouk...' Die heeft namelijk stugge haren, wat ik wel eens jammer vind.

Mio bolt zijn rug waardoor je zijn ruggengraat kan voelen onder zijn oranje gestreepte vacht. Ik kriebel hem onder zijn kin, hij duwt zijn kopje tegen mijn vingers. Wat lief! Dat vind ik altijd zo leuk van katten, dat spinnen.

'Wie is Nanouk?' vraagt Jona.

'O, dat is mijn hond, een husky.'

'Echt waar? Wat leuk! Ik wilde vroeger ook zo graag een hond. Maar omdat ik veel weg ben voor mijn werk kan ik dat zo'n beest niet aandoen. Mio kan gewoon zichzelf uitlaten.'

'Ja, dat is waar. En een kat is ook superleuk.' Ik vraag me af of het niet brutaal is om erover te beginnen, maar toch waag ik de gok en vraag: 'Zou ik misschien mijn oude kamer even mogen zien?'

'Ja, natuurlijk! Kom maar mee.' Ze staat op en ik loop opgelucht achter haar aan. Mio springt al miauwend weg.

Het voelt aan de ene kant vreemd om weer in ons oude huis te zijn, maar aan de andere kant zo vertrouwd... Er is geverfd, er hangen andere schilderijtjes en foto's, maar voor de rest is alles zo gebleven als het was.

Jona doet de deur van mijn ex-kamer open. Langzaam en aarzelend loop ik naar binnen. Er staat een trap en er liggen allemaal kwasten. Her en der staan blikken verf. Ja, het is mijn kamer. Ik moet wel even slikken als ik mijn bloemetjesbehang door zie schemeren van onder de verfstreken.

'Lastig behang heb je uitgekozen,' zegt Jona met één opgetrokken mondhoek.

'Het was ook niet mijn bedoeling om het te veranderen,' zeg ik schor.

'Gaat het?' Ze kijkt me serieus aan.

Langzaam knik ik. Dan gaat mijn mobiel. Ik neem de telefoon op, die het Nederlandse volkslied klingelt.

'Met Liona.'

'Hoi Lio, met Juna. We zijn uitgezoend hoor!'

Ik grinnik. 'Dat is je geraden! Oké, ik kom eraan. Tot zo dan.' Ik hang op. 'Sorry, ik moet ervandoor.'

'Geeft helemaal niks! Leuk dat ik de vroegere bewoonster nu heb ontmoet.' Ze geeft me een hand.

'Ja, vond ik ook! Bedankt voor de sojamelk, en dat ik zo vrij mocht zijn even naar mijn kamer te mogen kijken.'

'Graag gedaan, hoor. Goede reis terug naar Oostenrijk!'

'Bedankt,' zeg ik al zwaaiend. Dan rijd ik het pad af, wat ik zo vaak heb gedaan, maar wat nu bijzonder is.

Weer aangekomen bij Juna's huis komt mijn vriendin meteen naar me toe. 'Hoi! Sorry, Lioon... Echt.' Ze omhelst me. Ik ruik het geurtje van haar haar. Ik snuif het op en knijp even mijn ogen dicht. Het is niet meer zoals voor mijn vertrek. Ze heeft zelfs andere shampoo.

'Is Jozua weg?'

'Ja, m'n ma heeft hem de deur uit gestuurd...' zegt ze ietwat be-schaamd.

Ik lach. 'Ja, zo gaat dat hè, als je verliefd bent!'

# 12

De hele avond halen we herinneringen op aan school, aan vroeger. Aan het leven in Nederland, dus. We lachen, zijn stil en pinken een traan weg. Juna vertelt me alle nieuwtjes over school en zo. Ik heb er maar halve aandacht voor. Het leven is doorgegaan zonder mij. Ik pas niet meer in dat beeld.

Juna stoot me aan. 'Luister je wel?'

'O, ja hoor. Nou ja, ik dacht aan het leven. Dat gaat gewoon door. Ik vraag me af wat ik daaraan toevoeg... Niemand zijn leven zal minder van kwaliteit zijn zonder mij, denk ik.'

Juna's gezicht betrekt. 'Lioon! Zo moet je niet denken! Mijn leven is echt niet meer compleet zonder jou, hoor. Ik mis je nog iedere dag!' Ze slaat een zweterige arm om me heen. Ik geloof haar niet zo, voor het eerst in onze vriendschap. Ze heeft Jozua nu. Jozua heeft mijn plek ingevuld. Ze heeft mij echt niet meer nodig.

'En jij hebt ook heel veel toegevoegd, hoor. Zonder jou had ik nu misschien geen verkering met Jo. En zonder jou was ik vroeger een stuk ongelukkiger geweest.' Vróéger ja. Maar nu heb je Jozua, denk ik. 'Kom op, hé. Doe niet zo! Ik weet zeker dat je in Oostenrijk ook onmisbaar zal worden. Denk maar eens aan alle gasten die je straks moet bedienen. Als jij er niet zou zijn, dan moeten ze in het bos slapen of zoiets.' Ik glimlach. Ach, misschien heeft ze wel gelijk.

Ik ben nu al vijf dagen bij Juna. Vandaag is alweer de laatste dag hier op Hollandse bodem! Gisteren hebben we alleen maar wat in de tuin en de kamer rondgehangen. Gepraat: wat heerlijk is als het niet in het Duits hoeft. Nou ja, thuis met m'n pa en ma spreek ik nog wel gewoon Nederlands. Maar dat is ook het enige. Op straat, in de winkels, met Maria... daar moet je je in het Duits verstaanbaar maken. Nu zitten we met zijn drieën (zonder Jozua!) aan de keukentafel te kletsen. Heerlijk in het Nederlands.

Dan gaat de mobiel van Juna. Ze zegt vrolijk haar naam. Meteen gaat haar stem omhoog. 'Hoi!' Ze staat op en loopt de keuken uit.

Fien kijkt haar na en werpt me een blik toe. 'Zal Jozua wel weer zijn. Iedereen hangt ze als ze met iets bezig is, behalve hém.'

'Wat vind je van Jozua?' vraag ik.

'Tja, wat moet je ervan vinden, hè. Hij is een beetje groot voor haar. Lijkt me lastig.'

'Ja, maar je weet toch dat Liona er is,' horen we vanuit de gang.

Fien kijkt me met een veelbetekenende blik aan en roept: 'Jozua mag niet komen, hoor! Jullie kunnen écht wel even zonder elkaar.'

Na een paar seconden loopt Juna de keuken weer in. Meteen gaat de bel van de voordeur. 'Sorry, hij stond al in de straat,' zegt Juna met een schuldbewuste blik.

Fien draait met haar ogen. Ze zucht geërgerd: 'Pubers...'

Na een paar minuten staat het koppel weer voor onze neus. Tjee, wat zijn ze verliefd. Helaas kan ze daar niks aan doen...

'Jo mag toch wel even meekletsen, mam? Da's veel gezelliger dan met zijn drieën. Hoe meer zielen, hoe meer vreugd, toch?' Juna zegt het zonder ook maar naar Fien te kijken.

'Wel ja,' verzucht Fien. Ik grinnik, ondanks dat het pijn doet.

Jozua schuift aan en Juna heeft daarna alleen nog maar oog voor hem. Ik bestudeer de keukentafel, die niet echt interessant is, moet ik zeggen. Dus breng ik maar een bezoek aan de wc. Als ik na een paar minuten terugkom, vraagt Jozua: 'Zullen we naar de bios? We kunnen nog een dramaatje pakken dat om half twee begint.' Hij kijkt op zijn mobiel, waar vast ook internet op zit.

'Ja!' roept Juna, en ze kijkt mij blij aan. 'Dat doe je vast niet in Oostenrijk, gok ik.'

Jozua zegt: 'Daar hebben ze niet eens bioscopen.'

'O, jawel hoor. Maar daar zijn al die films ingesproken en daar is niks aan,' antwoord ik.

Juna vraagt ongeduldig: 'Maar gaan we nou?'

'Is goed, hoor.'

Vijfentwintig minuten later zitten we in de donkere bioscoop. Dat is lang om bij de bioscoop te komen. Maar ja, wat wil je ook met een verliefd stelletje dat om de drie passen een zoen aan elkaar moet geven? De film begint. Ik kijk opzij en kijk daarna meteen weer voor me, zonder dat ik iets van de film zie. Wéér word ik me ervan bewust dat het niet meer zo is als vroeger. Juna heeft een ander leven gekregen, waarin ik niet meer pas. Hoe erg ik ook wens dat dat nog wel zo is. Het doet echt pijn. Er steekt een eenzaam gevoel in mijn hart en er zit een chronische brok in mijn keel. De hele film dwalen mijn ogen om de paar minuten af naar Juna en Jozua. Zeven van de tien keer liggen ze op, naast of over elkaar heen. Ik zit mijn tijd uit. Als de film, waarvan ik niet eens weet waar hij over ging, afgelopen is stelt Juna stralend aan me voor om nog iets te gaan drinken in het café naast de bios.

Dat trek ik niet meer. 'Hé Juna, vind je het heel erg als ik ga?'

'Nee, joh! Ik zie je thuis wel weer.'

'Nee, ik bedoel dat ik... eh...' Hoe leg je dat nou weer uit? 'Nou ja, ik wil ook nog even langs die vriendin van mijn moeder gaan.'

Jozua zegt: 'Joh, blijf nog effe.'

'O,' zegt Juna, even beduusd. 'Nou ja, als jij dat wilt... Maar wel jammer.' Ze kijkt me voor het eerst deze week met haar volle aandacht aan.

'Sorry,' zeg ik zacht. Ik meen het. Ik wil het liefst nog bij haar blijven, maar alleen als het weer wordt zoals eerst. Alleen wij. En niet zij en ik.

Juna omhelst me. 'Ik vond het fijn je weer te zien. Even te merken dat je niet honderd procent Oostenrijkse bent geworden, maar nog half Nederlandse bent.' Ik wrijf over haar rug. Dan laat ik Juna los en zwaai ik naar Jozua. Wat moet ik anders? 'Doei.' Ze kijken me na als ik zwaaiend het plein af loop en verdwijn.

Tien minuten later kom ik opgelucht aan bij Juna's huis. Fien heeft me gezien en doet de deur al voor me open.

'Hé, ben je alleen? Juna heeft je toch niet weggepest, hè?'

'Nee, helemaal niet. Maar ik wil nog even naar de vriendin van mijn moeder.' Ik weet niet of ik dat wel wil, maar mijn trein gaat toch pas over bijna zes uur.

'O, oké. Was het al afgesproken met die vriendin?' Ik schud mijn hoofd. 'Is het vanwege Jozua?' Fien kijkt me meelevend aan.

Ik schud nee, maar direct daarna ja. 'Ja, nou ja...'

'Lastig, hè?'

'Ja, eigenlijk wel.'

'Vind ik ook, hoor. Ze heeft nu meer aandacht voor Jozua dan voor andere dingen. Jammer dat jij dat ook moest merken.' Fien zucht diep. 'Nou, dan zal ik je niet langer ophouden, meid.'

Ik trek mijn mond in een soort van glimlach. Dan ga ik mijn spullen inpakken. Vijf minuten later sta ik weer in de gang.

'Dag Fien, bedankt voor de gastvrijheid.'

Ze pakt me beet en drukt me even stevig tegen haar grote boezem aan. 'Het ga je goed. Doe de groeten aan je ouders en geef Nanouk een knuffel van me.'

'Zal ik doen.' Dan stap ik naar buiten, loop de straat uit en stap in de volgende straat op de metro. Dan maar naar Dion.

Een half uur later sta ik voor haar deur. Opeens realiseer ik me dat ze net zo goed niet thuis kan zijn, of dat ik haar hier verschrikkelijk mee overval... Mijn hart klopt met harde slagen. Ik bel aan, en wacht. Met mijn oren gespitst luister ik naar geluiden: voetstappen die hol in de gang klinken en vervolgens de klik van de deur. Maar niks. Ik tel tot tien. Nog steeds niks. Dan bel ik voor een tweede keer aan. Ik bijt op mijn lip, luister nog meer ingespannen. Ik zucht, zie mezelf weerspiegeld in de ruit van de deur. Wat nu?

# 13

Ik sta voor de deur van Dion, bijtend op mijn lip. Wat moet ik doen? Het duurt nog bijna vijf uur voordat mijn trein naar Oostenrijk vertrekt.

En dan heb ik het ineens helemaal gehad met Nederland. Zou dit het gevoel zijn dat mijn moeder ook had? Ik recht mijn schouders, loop met mijn rugzak over één schouder naar de straat en ga op de stoep zitten. Ik haal mijn mobiel uit mijn zak, die tot mijn grote ergernis is uitgevallen omdat de batterij leeg is. Rotdingen ook allemaal! Uitgerekend nú, nu ik het er even niet bij kan hebben, laat dat stomme ding me in de steek! Hadden ze maar nooit al die luxe uitgevonden, dan zou je het ook niet missen. Ik spring op. Dan maar een telefooncel zoeken. Ik stap weer in de metro en reis naar het station. Daar zal vast wel ergens een telefooncel staan. Ik loop met grote passen met mijn bagage door de hal van het enorme station, speurend naar iets waarmee ik kan bellen. Dan, net als ik ongeduldig begin te worden, staat daar weggestopt tegen de zijkant van de hal mijn redding: een groen ding waar ik nog nooit van mijn leven in heb gestaan, voor zover ik me kan herinneren. Wel eens in het buitenland, dat gaf altijd zo'n vakantiegevoel, vond ik.

Ik trek de deur open en draai verwoed het nummer. Ik ben haast doof als die stomme telefoon een keiharde piep geeft. 'Dit nummer is momenteel niet in gebruik,' zegt een truttige vrouwenstem. Ik gooi de hoorn op de haak. Niet in gebruik?! Wat een onzin! Maar dan schiet het door mijn hoofd dat ik misschien er iets voor moet zetten, net als je voor Nederland 0031 moet draaien. Dwalend door de telefooncel zie ik opeens het verkreukelde papiertje naast de telefoon met daarop de landennummers. Oostenrijk is dus 0043.

Nadat ik al mijn kleingeld in het gleufje heb geduwd en het nummer heb ingetoetst, krijg ik mijn moeder aan de telefoon.

'Hoi mam, met Liona.'

'Hé! Wat leuk om jou even te horen!' klinkt het ver weg in de hoorn. 'Wat is er, meisje?'

'O, ik wilde je gewoon even horen. Hoe is het met het pension?'

'Goed, goed. Het is denk ik af als je thuiskomt. Want je trein vertrekt toch vanavond om een uur of negen?'

'Ja, klopt.'

'Goed. Dan zie ik je gauw weer verschijnen. Geef je me een belletje als je op het station staat, zodat we je kunnen ophalen?'

'Ja, tuurlijk. Dank je wel.'

'Tschüss!'

'O, en mam?'

'Ja?'

'Ik hou van je.'

'Ik ook van jou. Heel veel!'

Ik glimlach en hang op. Dat was net wat ik nodig had. Ik verlaat de telefooncel en zoek een leeg bankje op. Ik moet wel even wachten, maar dat geeft niet. Dan kan ik alles eventjes goed op een rijtje zetten.

Zodra de internationale trein voor mijn neus staat, hijs ik mijn bagage erin en zoek ik mijn coupé, waar ik ongestoord mijn voeten op de bank tegenover me kan leggen.

Vijftien uur later sta ik op het station, vlak bij thuis. Het eerste wat ik doe is de zuivere lucht opsnuiven en naar de bergen kijken. Ik zoek met mijn ogen de berg achter het station, waar halverwege ons huis op staat. Als een klein stipje steekt het af tegen de berghelling. Ik glimlach, ik kan er niks aan doen. Het voelt ongewild als een beetje thuiskomen.

Als ik met de stroom reizigers ben meegevoerd, bel ik voor de tweede keer in mijn leven met een openbare telefoon.

Mijn vader neemt op. Ik ben blij zijn stem te horen.

'Hoi pap, met Liona.'

'Hé! Ben je er al?'

'Ja.'

'Dan kom ik er meteen aan.'

Na een kwartier stopt de auto van mijn vader voor mijn neus. De auto is al heel wat viezer dan hij ooit in Nederland is geweest... Ik stap in. Mijn vader begroet me alleen maar met een 'hallo', maar ik buig me naar hem toe en geef hem snel een zoen.

Hij kijkt verrast en dankbaar. Hij is het niet meer gewend, zoveel liefde van mij. 'Hoe was het?'

'Nou, niet zo best.' Terwijl we naar huis rijden vertel ik hem het hele verhaal.

Hij knikt en bromt. 'Jammer dat het tegenviel. Maar misschien kan je haar dan wel beter loslaten.'

Wauw, best bijzonder om dat uit zijn mond te horen! Meestal is hij niet zo gevoelig.

Na iets meer dan een kwartier rijden we voorbij de pizzeria. Buiten staat Maria te praten met een jongen die een schort draagt. Ze draait zich om, ziet ons en zwaait verrast. Ik zwaai enthousiast terug.

Even later rijden we het nog even hobbelige pad van ons huis op. Het is niks veranderd in de tussentijd. Dat zou eigenlijk wel moeten, want het is toch het visitekaartje van ons pension. Meteen als ik de deur van de auto opendoe, springt Nanouk op mijn schoot. Ik knuffel haar halfdood. Lachend boor ik mijn gezicht in haar vacht. Lieve, lieve Nouk! Ze weet van gekheid niet waar ze het moet zoeken, zo blij is ze me weer te zien. Ze rent rondjes om zichzelf heen, vervolgens om mij en springt dan tegen me op. Meteen lig ik op de grond. En ik lig in een deuk! Dan komt mijn moeder aanlopen. Ik sta op en klop het stof van mijn broek.

'Hoi, meisje!'

'Hé... Jullie hebben zo te zien goed voor Noukie gezorgd!'

'Ja, wat dacht jij dan?' Ze glimlacht en kust me op mijn haar. 'Kom eerst even zitten, we hebben een tuinset gekocht.' Ze gaat me voor naar het terras, waar een puur-natuur-picknicktafel staat van doormidden gezaagde boomstammen. Ik vertel haar over wat ik heb meegemaakt in Nederland.

Opeens zie ik mijn vader, die tegenover me zit, ergens naar kijken. Ik volg zijn blik en zie dan dat Maria achter me staat. Wat leuk!

Ze lacht breed en heeft haar handen achter haar rug. Dan haalt ze ze naar voren. In haar uitgestrekte handen ligt een kledingstuk. Een wollen Oostenrijks vest.

'Wilkommen wieder zu Hause!' zegt ze met een brede grijns. Ik slik mijn tranen weg. Niet van verdriet, maar van dankbaarheid. Het is zo'n mooi gebaar! Zou ik nu echt bij Oostenrijk horen? denk ik, terwijl ik het schapenzachte vest aanpak. Ik vouw het voorzichtig uit. Er zijn edelweissjes op geborduurd, en het is precies mijn maat, zo te zien.

'Danke! Danke schön!' Ik omhels Maria, die naar bos en bloemen en haardvuur ruikt. Als ik haar heb losgelaten, trek ik het vest aan. Meteen voel ik hoe de warmte vast wordt gehouden door het fijne weefsel. Het is zacht, niet stug en kriebelig zoals je zou verwachten van wol. Het valt zo om mijn lichaam heen, veel beter dan enig ander kledingstuk dat ik ooit aan heb gehad. Geen wonder dat iedereen in Oostenrijk hierin rondloopt. Het waren gewoon keiharde vooroordelen van mij over die vesten en truien. Al die kinderarbeid, die milieuvervuiling en de grote bedragen die je soms voor kleding in Nederland betaalt, is nergens voor nodig. Want met zo'n vest wil je niks anders meer!

'Het is met liefde gemaakt,' deelt Maria mee. Dus dát doen Oostenrijkse pubers in hun vrije tijd... Vesten breien!

'Ja, dat voel je echt.' Mijn moeder voelt even aan mijn mouw, en daarna mijn vader. 'Zo eentje zou ik er ook wel willen!' roept hij uit.

Ik glimlach naar het meisje dat zeker een nieuwe vriendin kan worden. Zou ik iets kunnen toevoegen aan haar leven? Ik ga er in ieder geval mijn best voor doen!


De eerste morgen na mijn vakantie in Nederland word ik vroeg wakker. Ik loop naar beneden en kijk door de glazen schuifpui met ruitjes erin van de woonkamer naar buiten. De zon komt net tevoorschijn van achter de bergen, en kleurt ze goud. Ze werpt meteen ook een gouden gloed in huis. Nanouk ligt nog met haar ogen dicht van de warmte te genieten. Ik maak een kop thee en loop ermee naar buiten, waar het nog fris is. Ik zet mijn thee neer en trek mijn nieuwe vest aan.

Nanouk is me toch maar achternagelopen en gaat naast me

zitten als ik op een omgezaagde boomstam neerstrijk. Het onkruid dat centimeters hoog naast me staat, kriebelt aan mijn benen als de wind er even doorheen blaast. Ik sluit mijn ogen in de morgenzon. In de verte hoor ik een koeienbel. Dichterbij de vogels, krekels en bijen. Hoog boven me hoor ik de roep van een roofvogel. Als ik mijn ogen weer opendoe, laat ik mijn blik dwalen over de bergen, de bomen, het dorpje dat aan mijn voeten ligt. Dan draai ik me om en kijk even naar ons huis. Ons *thuis.* En ik besef dat het zo écht voelt.

## Milou van der Horst

Milou van der Horst werd geboren op 17 juni 1992. Schrijven vond ze altijd al leuk. Ze bedacht als kind altijd verhalen waarin poppen of barbies de hoofdrol kregen, en ook schrijfopdrachten op school maakte ze graag. Toen ze ouder werd, begon ze dagboeken te schrijven om de moeilijke periode die ze doormaakte, te verwerken. Ze kreeg namelijk anorexia. Toen het weer beter ging, besloot ze dat ze alles in een verhaal wilde zetten. Daaruit ontstond haar eerste boek: *Mijn allerliefste vijand.* In haar tweede boek, *Zwaartekracht,* beschrijft ze het leven na de anorexiakliniek: hoe moeilijk het was de draad weer op te pakken en hoe haar dat uiteindelijk toch gelukt is. *Ver weg* is haar eerste niet-autobiografische boek.

Milou houdt niet alleen van schrijven, ook tekenen, schilderen en knutselen zijn haar hobby's. Daarnaast fitnest ze, maar het allerliefste wandelt ze in de Oostenrijkse bergen.

Haar grootste droom is een eigen huisje in Oostenrijk. Een husky zal daar ongetwijfeld niet ontbreken, evenmin als haar trouwe vriendje en maatje Buddy de maltezer.

**Mijn allerliefste vijand**

Milou van der Horst

*'Zo Femke, hoe is het?' vraagt de dokter.*

*'Goed,' zeg ik.*

*Hij kijkt vragend naar mama. Ze heeft tranen in haar ogen.*

*'Slecht,' zegt ze schor.*

Zie je, stom kind? Je maakt haar verdrietig! *galmt het door mijn hoofd.*

*Ik ga op de weegschaal. 29,8 kilo. Yes! Weer anderhalve kilo eraf sinds vorige week.* Je moet stoppen, je zou tot de 30 gaan, *denk ik. Maar de gedachte wordt weggeduwd door Femke 2.*

*Ik mag niet stoppen, ik word nu juist mooi.*

Femke wil slank zijn. Misschien wil Lotte dan wel weer vriendinnen met haar worden. Maar het loopt uit de hand. Femke 2 – haar andere ik – krijgt steeds meer macht. Ze kan niet meer stoppen met afvallen en wordt opgenomen in het ziekenhuis. Maar zelfs daar geeft ze het niet op. Want hoe vind je de kracht om het gevecht aan te gaan met een vijand die ook je beste vriendin is?

'Mijn allerliefste vijand is zo écht, zo hartverscheurend realistisch, daar kan Slee echt niet aan tippen.'
*Leesfeest*

'...een aangrijpend verhaal'
*Kidsweek*

Nadat Femke uit de anorexiakliniek is ontslagen, moet ze de draad van het gewone leven weer oppakken. Ze gaat naar de brugklas, maar heeft het daar erg moeilijk. Hoe moet ze vrienden maken? Hoe zorgt ze ervoor dat niemand achter haar ziekte komt? Eten is voor haar nog steeds een enorm probleem, en langzaam maar zeker gaat ze toch weer stiekem lijnen... Op survivalkamp in de Ardennen ontdekt Femke dat mensen haar waarderen om wie ze is, niet om hoe ze eruitziet, en leert ze nieuwe grenzen te verkennen én te verleggen!

Dit boek maakt pijnlijk duidelijk dat je niet zo eenvoudig van anorexia genezen bent, al zit je dan niet meer in een kliniek.

'Zwaartekracht is een sterk vervolg op Mijn allerliefste vijand. Milou kan goed schrijven en kan je feilloos laten voelen waarom genezen van anorexia zo zwaar is.'
   Kidsweek

'Van der Horst schreef een integer, geloofwaardig en ontroerend verhaal. Ze laat de lezer meevoelen en nadenken over de moeilijke strijd tegen anorexia.'
   Nederlands Dagblad

'Zwaartekracht van Milou van der Horst is eerlijk en aangrijpend.'
   Vriendin